Cinco esquinas

MARIO VARGAS LLOSA

Cinco Esquinas

TRADUÇÃO
Paulina Wacht e Ari Roitman

2ª reimpressão

Copyright © 2016 by Mario Vargas Llosa

Grafia atualizada segundo o Acordo Ortográfico da Língua Portuguesa de 1990, que entrou em vigor no Brasil em 2009.

Título original
Cinco esquinas

Capa
Thiago Lacaz

Foto de Capa
Jerome Tisne/ Getty Images

Preparação
Eduardo Rosal

Revisão
Nina Rizzo
Carmen T. S. Costa

Dados Internacionais de Catalogação na Publicação (CIP)
(Câmara Brasileira do Livro, SP, Brasil)

Vargas Llosa, Mario
    Cinco esquinas / Mario Vargas Llosa ; tradução Paulina Wacht e Ari Roitman. – 1ª ed. – Rio de Janeiro : Alfaguara, 2016.

    Título original: *Cinco esquinas.*
    ISBN 978-85-5652-022-7

    1. Romance peruano I. Título.

16-05741   CDD-pe863.4

Índice para catálogo sistemático:
1. Romances : Literatura peruana   pe863.4

[2017]
Todos os direitos desta edição reservados à
EDITORA SCHWARCZ S.A.
Praça Floriano, 19 — Sala 3001
20031-050 — Rio de Janeiro — RJ
Telefone: (21) 3993-7510
www.companhiadasletras.com.br
www.blogdacompanhia.com.br
facebook.com/alfaguara.br
twitter.com/alfaguara_br

Para Alonso Cueto

Cinco Esquinas é uma obra de ficção na qual o autor se inspirou para a criação de alguns personagens, na personalidade de seres autênticos com os quais esses personagens também compartilham o nome, embora sejam tratados ao longo de todo o livro como seres de ficção. Em todos os momentos o autor assumiu liberdade absoluta no relato, sem que os fatos narrados correspondam à realidade.

Sumário

I. O sonho de Marisa — 7

II. Uma visita inesperada — 15

III. Fim de semana em Miami — 21

IV. O empresário e o advogado — 29

V. O covil das fofocas — 35

VI. Uma ruína do mundo do espetáculo — 43

VII. A agonia de Quique — 50

VIII. A Baixinha — 58

IX. Um negócio singular — 64

X. Os Três Piadistas — 71

XI. O escândalo — 78

XII. Refeitório popular — 88

XIII. Uma ausência — 95

XIV. Desarranjos e arranjos conjugais — 106

XV. A Baixinha está com medo — 115

XVI. O latifundiário e a chinesinha — 124

xvii. Estranhas operações em torno de Juan Peineta   134

xviii. A noite mais longa do engenheiro Cárdenas   146

xix. A Baixinha e o poder   152

xx. Um redemoinho   166

xxi. Edição extra da *Revelações*   192

xxii. Happy end?   204

1. O sonho de Marisa

Tinha acordado ou continuava sonhando? Aquele calorzinho no peito do pé direito continuava lá, uma sensação estranha que arrepiava todo o seu corpo e lhe revelava que não estava sozinha naquela cama. As lembranças vinham à sua cabeça em tropel, mas iam se organizando como palavras cruzadas preenchidas lentamente. Depois do jantar elas tinham ficado alegres e um pouco altas com o vinho, passando do terrorismo aos filmes e às fofocas sociais, quando, de repente, Chabela olhou o relógio e imediatamente se levantou, pálida: "O toque de recolher! Meu Deus, não vai dar mais tempo de chegar a La Rinconada! Como passou o tempo!". Marisa insistiu que ficasse e dormisse com ela. Não havia problema, Quique tinha ido a Arequipa para uma reunião da diretoria no dia seguinte cedo na cervejaria, elas eram donas do apartamento no Golfe. Chabela ligou para seu marido. Luciano, sempre tão compreensivo, disse que não se preocupasse, ele se encarregaria de que as duas meninas fossem pontualmente esperar o ônibus do colégio. Que Chabela ficasse mesmo na casa de Marisa, era bem melhor que ser parada na rua por uma patrulha, se infringisse o toque de recolher. Maldito toque de recolher. Mas, claro, o terrorismo era pior.

Chabela dormiu com ela e, agora, Marisa sentia a sola do pé da amiga no peito do seu pé direito: uma leve pressão, uma sensação suave, morna, delicada. Como foi que as duas acabaram tão perto uma da outra naquela cama de casal tão vasta que, quando a viu, Chabela brincou: "Escute aqui, Marisita, você pode me dizer quantas pessoas dormem nesta cama gigante?". Lembrou que tinham se deitado cada uma em seu canto, separadas no mínimo por meio metro de distância. Qual delas tinha se mexido tanto no sono que agora o pé de Chabela estava pousado sobre o seu?

Não se atrevia a fazer nenhum movimento. Continha a respiração para não acordar a amiga, para que ela não tirasse o pé acabando com aquela sensação tão agradável que se expandia do peito do seu pé para o resto do corpo e a deixava tensa e concentrada. Devagarzinho foi divisando, nas trevas do quarto, umas réstias de luz nas persianas, a sombra da cômoda, a porta do closet, a do banheiro, os retângulos dos quadros nas paredes, o deserto com a serpente-mulher de Tilsa, a câmara com o totem de Szyszlo, o abajur de pé, a escultura de Berrocal. Fechou os olhos e escutou: muito fraca, mas compassada, aquilo era a respiração de Chabela. Estava dormindo, talvez sonhando, e então tinha sido ela mesma, sem dúvida, quem se aproximou do corpo da amiga durante o sono.

Surpresa, envergonhada, perguntando outra vez se estava acordada ou sonhando, Marisa afinal tomou consciência daquilo que seu corpo já sabia: estava excitada. Aquela sola delicada aquecendo o peito do seu pé lhe havia acendido a pele e os sentidos e agora, com certeza, se passasse a mão entre as pernas estaria molhadinha. "Você ficou doida?", perguntou a si mesma. "Ficar excitada com mulher? Desde quando, Marisita?" Tinha se excitado sozinha muitas vezes, naturalmente, e também se masturbava uma vez ou outra roçando uma almofada entre as pernas, mas sempre pensando em homens. Pelo que se lembrava, em mulher nunca, jamais! No entanto, agora estava excitada, tremendo da cabeça aos pés e louca de vontade de que estivessem se tocando não apenas os pés, mas também as outras partes do corpo, e ela sentisse em toda a pele, tal como no peito do pé, a proximidade e a tepidez da sua amiga.

Mexendo-se suavissimamente, com o coração aos pulos, simulando uma respiração semelhante à do sono, Marisa virou-se um pouco, de tal modo que, embora sem tocá-la, sentiu que agora sim estava a poucos milímetros das costas, das nádegas e das pernas de Chabela. Ouvia melhor sua respiração e teve a impressão de sentir um alento recôndito que emanava daquele corpo tão próximo, chegava até ela e a envolvia. A despeito de si mesma, como se não se desse conta do que estava fazendo, moveu lentamente a mão direita e pousou-a na coxa da amiga. "Bendito toque de recolher", pensou. Sentiu o coração acelerando: Chabela ia acordar, ia empurrar sua mão: "Tire, não me toque, você ficou maluca?, o que está havendo?". Mas Chabela não se mexia e parecia continuar mergulhada num sono profundo. Sentiu-a inspirar, expirar, teve a impressão de que aquele ar vinha até ela, entrava por seu nariz e sua boca e aquecia suas vísceras. De vez em quando, no meio de sua excitação, que absurdo, pensava no toque de recolher, nos apagões, nos sequestros — principalmente o de Cachito — e nas bombas dos terroristas. Que país, que país!

Debaixo de sua mão, a superfície da coxa era firme e suave, ligeiramente úmida, talvez de suor ou algum creme. Será que antes de se deitar Chabela havia passado um dos cremes que Marisa tinha no banheiro? Não a vira tirar a roupa; deu à amiga uma camisola sua, muito curta, e ela foi se trocar no closet. Quando Chabela voltou, já estava de camisola; era uma camisola semitransparente, que deixava de fora os braços e as pernas e um começo de nádega, e Marisa lembra que pensou: "Que corpo bonito, como está conservada apesar das duas filhas, é a academia três vezes por semana". Continuou avançando milimetricamente, ainda com o temor crescente de acordar a amiga; agora, apavorada e feliz, sentia que, por instantes, na cadência das respectivas respirações, fragmentos de coxa, de nádega, de pernas das duas se roçavam e, imediatamente, se afastavam. "Ela vai acordar agora mesmo, Marisa, você está fazendo uma loucura." Mas não recuava e continuava à espera — o que estava esperando? —, como que em transe, do próximo toque fugaz. Sua mão direita continuava pousada na coxa de Chabela, e Marisa percebeu que tinha começado a suar.

Então a amiga se mexeu. Ela pensou que seu coração ia parar. Parou de respirar por alguns segundos; fechou os olhos com força, fingindo dormir. Chabela, sem sair do lugar, tinha levantado o braço, e agora Marisa sentia a mão dela pousada sobre a sua que estava na coxa. Iria tirá-la dali com um safanão? Não, pelo contrário, com suavidade, pode-se dizer que com carinho, Chabela, entrelaçando seus dedos com os dela, agora arrastava sua mão, pressionando-a um pouco contra a pele, em direção à virilha. Marisa não acreditava no que estava acontecendo. Sentiu nos dedos da mão capturada por Chabela os pelos de um púbis ligeiramente erguido e a fenda encharcada, palpitante, contra a qual ela a apertava. Tremendo da cabeça aos pés, Marisa se inclinou, encostou os seios, a barriga, as pernas nas costas, nas nádegas e nas pernas da amiga, enquanto esfregava seu sexo com os cinco dedos, tentando localizar o pequeno clitóris, escavando, separando os lábios molhados daquele sexo avolumado pela ansiedade, sempre guiada pela mão de Chabela, que sentia estar tremendo também, acoplando-se ao seu corpo, ajudando a amiga a se enredar e se fundir nela.

Marisa enfiou o rosto na selva de cabelo que ia afastando com movimentos de cabeça, até encontrar o pescoço e as orelhas de Chabela, e agora os beijava, lambia e mordiscava com deleite, sem pensar em mais nada, cega de felicidade e de desejo. Alguns segundos ou minutos depois, Chabela tinha se virado e ela própria procurava a sua boca. Beijaram-se com avidez e desespero, primeiro nos lábios, depois abrindo as bocas, e confundindo as línguas, intercambiando saliva, enquanto as mãos de uma tiravam — arrancavam — a camisola da outra até ficarem nuas e entrelaçadas; rolavam para um lado e para o outro, acariciando-se os seios, beijando-os, e depois as axilas e as barrigas, cada uma manuseando o sexo da outra e sentindo-os palpitar num tempo sem tempo, infinito e intenso.

Quando Marisa, atordoada, saciada, sentiu que caía, sem poder evitar, num sono irresistível, ainda chegou a pensar que durante toda aquela extraordinária experiência que havia acabado de acontecer nem ela nem Chabela — que agora também parecia dominada pelo sono — disseram uma palavra. Quando estava mergulhando num vazio sem fundo pensou de novo no toque de recolher e teve a impressão de ouvir uma explosão distante.

Horas depois, quando Marisa acordou, a luz cinzenta do dia entrava no quarto, filtrada pelas persianas, e ela estava sozinha na cama. A vergonha a fez tremer da cabeça aos pés. Tinha acontecido mesmo tudo aquilo? Não era possível, não, não. Mas sim, claro que tinha acontecido. Então ouviu um barulho no banheiro e, assustada, fechou os olhos, fingindo dormir. Depois os entreabriu e, através das pestanas, divisou Chabela já vestida e arrumada, pronta para sair.

— Marisita, mil desculpas, acordei você — ouviu-a dizer, com a voz mais natural do mundo.

— Que ideia — balbuciou, convencida de que quase não se ouvia a sua voz. — Já vai? Não quer tomar café antes?

— Não, coração — respondeu a amiga: sua voz não tremia nem parecia constrangida; estava como sempre, sem o menor rubor na face e um olhar absolutamente normal, sem um pingo de malícia nem de picardia em seus grandes olhos escuros, e com o cabelo preto um pouco desarrumado. — Vou correndo para ver as meninas antes de saírem para a escola. Obrigada pela hospitalidade. Depois nos falamos, um beijinho.

Jogou-lhe um beijo da porta do quarto e foi embora. Marisa se encolheu, se espreguiçou, esteve a ponto de levantar, mas voltou a se encolher e se cobriu com o lençol. Claro que tinha acontecido, e a melhor prova é que ela estava nua, e sua camisola, amarrotada e meio para fora da cama. Levantou o lençol e riu ao ver que a camisola que tinha emprestado a Chabela também estava lá, um volumezinho ao lado dos seus pés. Uma risada que se interrompeu de repente. Meu Deus, meu Deus. Estava arrependida? Em absoluto. Que presença de espírito da Chabela! Será que já tinha feito coisas assim antes? Impossível. Elas se conheciam fazia muito tempo, sempre contavam tudo uma à outra, se Chabela alguma vez tivesse vivido uma aventura desse tipo teria lhe confessado. Ou quem sabe não? Mudaria alguma coisa a amizade das duas? Claro que não. Chabelita era sua melhor amiga, mais que uma irmã. Como seria a relação entre elas dali em diante? A mesma de sempre? Agora dividiam um enorme segredo. Meu Deus, meu Deus, ainda não acreditava que aquilo tinha acontecido. Durante toda a manhã, enquanto tomava banho, se vestia, tomava café, dava instruções à cozinheira, ao mordomo e à arrumadeira, revoavam em sua cabeça as mesmas perguntas: "Você fez mesmo o que fez, Marisita? E se Quique soubesse que ela e Chabela fizeram o que fizeram? Ficaria zangado? Faria uma cena de ciúmes como se tivesse sido traído com um homem? Mas ia contar a ele?". Não, nunca na vida, ninguém podia saber disso, que vergonha. Por volta do meio-dia, quando Quique chegou de Arequipa trazendo para ela os habituais docinhos da La Ibérica e um saco de pimenta rocoto, enquanto o beijava e perguntava como tinha sido a reunião na cervejaria: "Bem, bem, gringuinha, decidimos parar de mandar cerveja para Ayacucho, a conta não fecha, as quantias que os terroristas e os pseudoterroristas nos pedem estão nos arruinando", ela continuava se perguntando: "Por que será que Chabela não tocou no assunto e saiu daqui como se nada houvesse ocorrido? Por que podia ser, sua boba. Porque ela também estava morrendo de vergonha, não queria se dar por aludida e preferia fingir, como se nada tivesse acontecido. Mas, sim, tinha acontecido, Marisita. Será que voltaria a acontecer algum dia, ou nunca mais?".

Passou a semana toda sem coragem de ligar para Chabela, esperando ansiosa que ela telefonasse. Que estranho! As duas nunca tinham passado tantos dias sem se ver nem se falar. Ou quem sabe, pensando bem, não era tão estranho: devia sentir-se tão constrangida quanto ela, e na certa esperava que Marisa tomasse a iniciativa. Será que ficou zangada? Mas por quê? Não foi Chabela quem deu o primeiro passo? Ela só havia posto a mão na sua perna, podia ser um gesto casual, involuntário, sem má intenção. Foi Chabela quem pegou sua mão e a fez tocar lá e masturbá-la. Que audaciosa! Quando chegava a esse pensamento sentia uma vontade louca de rir e um ardor nas bochechas que já deviam estar vermelhíssimas.

Ficou assim o resto da semana, meio distraída, concentrada nessa lembrança, quase sem notar que seguia a rotina fixada pela sua agenda, as aulas de italiano na casa de Diana, o chá de panela da sobrinha de Margot que finalmente ia se casar, dois jantares de trabalho com sócios de Quique que incluíam as esposas, a visita obrigatória aos seus pais para tomar um chá, o cinema com a prima Matilde, um filme a que não prestou a menor atenção porque aquilo não lhe saía da cabeça nem por um instante e, às vezes, ainda se perguntava se não teria sido um sonho. E um almoço com as colegas de colégio e a inevitável conversa, que acompanhava parcialmente, sobre o pobre Cachito, sequestrado quase dois meses antes. Diziam que um especialista da companhia de seguros viera de Nova York para negociar o resgate com os terroristas e que a pobre Nina, a mulher dele, estava fazendo terapia para não enlouquecer. Andava tão avoada que, numa daquelas noites, estava fazendo amor com Enrique e de repente viu que o marido tinha perdido o entusiasmo e dizia: "Não sei o que está havendo, gringuinha, acho que em dez anos de casamento nunca vi você tão sem sal. Será por causa do terrorismo? Vamos dormir, é melhor".

Na quinta-feira, exatamente uma semana depois daquilo que tinha ou que não tinha acontecido, Enrique voltou do escritório mais cedo que o habitual. Foram tomar um uísque sentados na varanda, contemplando o mar de luzinhas de Lima aos seus pés e falando, naturalmente, do assunto que obcecava todos os lares naqueles dias, os atentados e sequestros do Sendero Luminoso e do Movimento Revolucionário Túpac Amaru, os apagões de quase todas as noites, provocados por explosões em torres elétricas que deixavam nas trevas bairros inteiros da cidade, e as detonações com que os terroristas acordavam os limenhos à meia-noite e ao amanhecer. Estavam lembrando que daquela mesma varanda tinham visto, alguns meses antes, se acenderem no meio da noite, num dos morros do contorno, umas tochas formando uma foice e um martelo, como profecia do que iria acontecer se os senderistas ganhassem a guerra. Enrique dizia que a situação estava ficando insustentável para as empresas, as medidas de segurança aumentavam os custos enlouquecedoramente, as companhias de seguros pretendiam continuar elevando os prêmios e, se os bandidos conseguissem o que queriam, em pouco tempo o Peru iria chegar à situação da Colômbia, onde os empresários, afugentados pelos terroristas, pelo visto estavam se transferindo em massa para o Panamá e Miami, a fim de tocar seus negócios de lá. Com todas as complicações, despesas extras e prejuízos que isso implica. E estava dizendo justamente "Talvez nós também tenhamos que ir para o Panamá ou Miami, amor" quando Quintanilla, o mordomo, apareceu na varanda: "A dona Chabela, senhora". "Passe a ligação para o meu quarto", disse ela e, ao se levantar, ouviu que Quique lhe dizia: "Diga a Chabela que qualquer dia destes vou combinar com Luciano um encontro de nós quatro, gringuinha".

Quando se sentou na cama e pegou o telefone, suas pernas tremiam. "Alô, Marisita?", ouviu e disse: "Que bom que você ligou, eu estava quase doida com tanta coisa para fazer, ia lhe telefonar amanhã cedinho".

— Estive de cama com uma gripe fortíssima — disse Chabela —, mas já está passando. Com muita saudade, coração.

— Eu também — respondeu Marisa. — Acho que nunca antes tínhamos passado uma semana sem nos ver, não é mesmo?

— Estou telefonando para lhe fazer um convite — disse Chabela. — E fique sabendo que não vou aceitar recusas. Eu tenho que ir a Miami por dois ou três dias, surgiram uns problemas no apartamento da Brickell Avenue que preciso resolver pessoalmente. Vamos juntas, por minha conta. Já tenho passagens para nós duas, saíram de graça com a milhagem acumulada. Podemos ir quinta à meia-noite, passamos lá a sexta e o sábado, e voltamos no domingo. Não me diga que não porque vou ficar mortalmente ofendida, amor.

— Mas claro que eu vou, feliz da vida — disse Marisa; parecia que a qualquer momento seu coração ia pular boca afora. — Vou falar com Quique agorinha mesmo, se ele fizer qualquer objeção eu peço o divórcio. Obrigada, coração. Que bom, que bom, adorei a ideia.

Desligou e continuou sentada na cama por mais alguns momentos, até se acalmar. Foi invadida por uma sensação de bem-estar, uma incerteza feliz. Aquilo tinha acontecido, e agora ela e Chabela iam para Miami na quinta-feira e durante três dias poderiam esquecer os sequestros, o toque de recolher, os apagões e todo esse pesadelo. Quando voltou para a varanda, Enrique brincou: "Quem ri à toa não pensou coisa boa. Pode-se saber por que seus olhos estão brilhando assim?". "Não conto, Quique", flertou ela com o marido, passando os braços em volta do seu pescoço. "Não vou contar nem morta. Chabela me convidou para passar três dias em Miami com ela e eu disse que se você não deixar, eu me divorcio."

ii. Uma visita inesperada

Assim que o viu entrar no seu escritório, o engenheiro Enrique Cárdenas — Quique para sua mulher e os amigos — sentiu um estranho desconforto.

O que o incomodava tanto no jornalista que vinha de mão estendida em sua direção? Seu andar tarzanesco, bracejando e rebolando como o rei da selva? O sorrisinho de roedor que franzia a testa debaixo de uma cabeleira, que era pura brilhantina, amassada sobre o crânio como um capacete de metal? A calça apertada de veludo lilás que cingia como uma luva seu corpinho estreito? Ou aqueles sapatos amarelos com altas plataformas para fazer seu porte aumentar? Tudo nele parecia feio e piegas.

— Muito prazer, engenheiro Cárdenas. — E ofereceu-lhe a mão molenga e pequena que umedeceu a sua com suor. — Finalmente o senhor me permite apertar-lhe a mão, depois de tanto insistir.

Tinha uma vozinha estridente que parecia debochada, uns olhos pequeninos e buliçosos, um corpinho raquítico, e Enrique notou que até fedia a sovaco ou a chulé. Seria por causa do cheiro que esse sujeito lhe caía tão mal logo de entrada?

— Sinto muito, sei que telefonou muitas vezes — desculpou-se, sem muita convicção. — Não tenho como receber a todos que me telefonam, o senhor não imagina como a minha agenda está sobrecarregada. Sente-se, por favor.

— Imagino perfeitamente, engenheiro — disse o homenzinho; seus sapatões altos rangiam, e estava com um paletozinho azul muito justo e uma gravata furta-cor que parecia estrangulá-lo. Tudo nele era diminuto, inclusive a voz. Que idade devia ter? Quarenta, cinquenta anos?

— Que vista fantástica o senhor tem daqui, engenheiro! Aquilo lá no fundo é o morro San Cristóbal, não é? Estamos no vigésimo ou no vigésimo primeiro andar?
— Vigésimo primeiro — informou. — O senhor deu sorte, hoje temos sol e se pode aproveitar a vista. Nesta época o mais normal é a neblina cobrir toda a cidade.
— O senhor deve ter uma sensação de poder enorme com Lima assim aos seus pés — brincou o visitante; seus olhinhos pardos se moviam, buliçosos, e tudo o que ele dizia, na opinião de Quique, delatava uma profunda insinceridade. — E que escritório elegante, engenheiro. Permita-me dar uma espiada nestes quadrinhos.
Agora o visitante estava examinando com toda a calma os desenhos mecânicos de tubos, polias, pistões, tanques de água e bombas que a decoradora Leonorcita Artigas tinha usado para adornar as paredes do escritório argumentando: "Não parecem gravuras abstratas, Quique?". A gracinha de Leonorcita, que pelo menos havia alternado esses desenhos impessoais e hieroglíficos com bonitas fotos de paisagens peruanas, lhe havia custado uma fortuna.
— Vou me apresentar — disse afinal o personagenzinho. — Rolando Garro, jornalista a vida toda. Diretor do semanário *Revelações*.
Entregou-lhe um cartão, sempre com seu meio sorriso e com sua vozinha gritona e esganiçada que parecia ter farpas. Era isso o que mais o incomodava no visitante, decidiu Enrique: não era o mau cheiro, e sim a voz.
— Já o conheço, sr. Garro — o empresário tentou ser gentil. — Já vi seu programa de televisão. Acabou por motivos políticos, certo?
— Acabou porque falava a verdade, coisa que não se suporta muito no Peru de hoje e de sempre — afirmou o jornalista com amargura, mas sem deixar de sorrir. — Já conseguiram acabar com vários programas meus, de rádio e de televisão. Mais cedo ou mais tarde a *Revelações* também vai fechar pelo mesmo motivo. Mas eu não me importo. São os ossos do ofício, neste país.
Seus olhinhos apertados o fitavam com ar de desafio e Enrique lamentou ter recebido aquele sujeito. Por que aceitou? Por-

que sua secretária, cansada de tantas ligações, lhe havia perguntado: "Digo então que não vai recebê-lo nunca, engenheiro? Eu não aguento mais, desculpe. Esse homem está deixando todo mundo louco no escritório. Telefona cinco ou seis vezes por dia, há várias semanas". Ele pensou que, afinal de contas, um jornalista às vezes pode ser útil. "E também perigoso", concluiu. Teve o pressentimento de que nada de bom ia sair daquela visita.

— Diga-me em que posso ajudá-lo, sr. Garro. — Notou que o jornalista parava de sorrir e fincava os olhos nele com uma expressão entre obsequente e sarcástica. — Se o assunto é publicidade, quero lhe adiantar que nós não cuidamos disso. Subcontratamos uma empresa que administra toda a publicidade do grupo.

Mas, evidentemente, o visitante não queria anúncios para o semanário. Agora o homenzinho estava muito sério. Não dizia nada; ficou olhando para ele em silêncio, como se estivesse procurando as palavras que ia usar ou fazendo suspense para deixá-lo nervoso. E, de fato, enquanto esperava Rolando Garro abrir a boca, Enrique começou a ficar, além de irritado, inquieto. O que aquele cafoninha estava escondendo na manga?

— Por que o senhor não tem guarda-costas, engenheiro? — perguntou de repente Garro. — Pelo menos, não estão à vista.

Enrique deu de ombros, surpreso.

— Sou fatalista e aprecio muito a minha liberdade — respondeu. — Que aconteça o que tiver que acontecer. Não posso viver cercado de guarda-costas, eu me sentiria prisioneiro.

Será que aquele sujeito viera lhe fazer uma entrevista? Ele não ia aceitar, e o colocaria no olho da rua o mais cedo possível.

— É um assunto muito delicado, engenheiro Cárdenas — o jornalista tinha abaixado a voz como se as paredes pudessem ouvi--los; falava com uma lentidão estudada, enquanto abria, de forma um tanto teatral, a maleta de couro desbotado que trouxera e tirava de dentro uma pasta presa com dois grossos elásticos amarelos. Não a entregou imediatamente; colocou-a em cima dos joelhos e voltou a incrustar nele seus olhinhos de roedor, nos quais Enrique agora divisava algo difuso, talvez ameaçador. Lamentou a hora em que aceitara aquele encontro. O mais lógico seria que um dos seus assistentes o atendesse, ouvisse o que tinha a dizer e se livrasse dele. Agora já era tarde, e com certeza ia se arrepender.

— Vou lhe deixar este dossiê para o senhor examinar com cuidado, engenheiro — disse Garro, entregando-o com uma solenidade exagerada. — Quando puser os olhos nele vai entender por que eu queria trazer pessoalmente e não deixá-lo nas mãos de suas secretárias. Pode ter certeza de que a *Revelações* jamais publicaria uma baixeza destas.

Fez uma longa pausa, sem desviar a vista, e prosseguiu com sua voz de falsete, cada vez mais baixa:

— Não me pergunte como chegou às minhas mãos, porque não vou dizer. É uma questão de deontologia jornalística, imagino que o senhor saiba o que é isso. Ética profissional. Eu sempre respeito as minhas fontes; há outros jornalistas que as vendem pela melhor oferta. Mas o que me permito repetir é que minha insistência em vê-lo pessoalmente se devia a isso. Aqui nesta cidade, como o senhor deve saber muito bem, há muita gente que quer o seu mal. Por causa do prestígio que o senhor tem, do seu poder e da sua fortuna. Essas coisas não se perdoam no Peru. A inveja e o ressentimento florescem com mais força aqui que em qualquer outro país. Só quero lhe garantir que aqueles que pretendem manchar sua reputação e prejudicá-lo jamais o farão por meu intermédio, nem da *Revelações*. Pode ter certeza. Eu não me presto a canalhices nem a baixezas. Simplesmente, é bom o senhor ficar a par. Seus inimigos vão utilizar estas e outras sujeiras ainda piores para intimidá-lo e exigir sabe Deus o quê.

Fez uma pausa, para tomar fôlego, e prosseguiu após alguns segundos, solene, levantando os ombros:

— Naturalmente, se eu tivesse me prestado a esse jogo sujo e publicado o material, nossas tiragens triplicariam ou quadruplicariam. Mas ainda restam no Peru alguns jornalistas de princípios, engenheiro, felizmente para o senhor. Sabe por que faço isto? Porque considero o senhor um patriota, sr. Cárdenas. Um homem que, com suas empresas, ajuda a construir a pátria. Que, enquanto muitos fogem, assustados com o terrorismo, e levam seu dinheiro para o exterior, o senhor fica aqui, trabalhando e criando empregos, resistindo ao terror, erguendo este país. E lhe digo outra coisa. Não quero nenhuma recompensa. Se o senhor me oferecesse, não aceitaria. Vim lhe trazer isto para que o senhor mesmo jogue este lixo no lixo e possa dormir sossegado. Nenhuma recompensa, engenheiro, só a de ter minha consciência limpa. Agora vou me despedir. Sei que o senhor é um homem muito ocupado e não quero roubar mais o seu precioso tempo.

Levantou, estendeu-lhe a mão, e Enrique, desconcertado, voltou a sentir a umidade deixada pelo contato com aqueles dedos e aquela palma molengos e molhados de suor. Viu o homenzinho ir rumo à porta com seus passos audazes e seguros, abri-la, sair e, sem virar a cabeça, fechá-la atrás de si.

Sentia-se tão confuso e incomodado que encheu um copo de água e bebeu num gole só, antes de olhar a pasta. Ela estava na escrivaninha, sob seus olhos, e ele teve a impressão de que sua mão tremia quando foi tirar os elásticos que a prendiam. Abriu. O que podia ser? Nada de bom, a julgar pelo discursinho do sujeito. Viu que eram fotos, embrulhadas em papel transparente. Fotos? Que fotos podiam ser? Começou a retirar o papel de seda com cuidado, mas em poucos segundos perdeu a paciência, rasgou e jogou no cesto de lixo. A surpresa que a primeira imagem lhe provocou foi tão grande que soltou a pilha de fotografias e estas caíram no chão, espalhadas. Ele escorregou da poltrona e, de quatro, foi recolhendo-as do chão. Enquanto pegava as fotos olhava uma por uma, escondendo-a rapidamente com a seguinte, atordoado, horrorizado, voltando à anterior, pulando para mais adiante, o coração sacudindo no peito, sentindo falta de ar. Continuou ali, sentado no chão, com as vinte fotos nas mãos, olhando-as inúmeras vezes, sem acreditar no que via. Não era possível, não era. Não, não. E, no entanto, as fotos estavam ali, diziam tudo, e ainda pareciam dizer muito mais do que o que acontecera de fato naquela noite em Chosica e que agora ressuscitava, quando ele achava que já tinha esquecido o iugoslavo e tudo aquilo havia muito tempo.

Estava tão enjoado, tão perturbado que, quando se levantou, pôs a pilha de fotos na mesa, tirou o paletó, afrouxou a gravata e caiu de olhos fechados na sua poltrona. Suava copiosamente. Tentou se tranquilizar, pensar com clareza, examinar a situação com equilíbrio. Não conseguiu. Pensou que poderia ter um ataque do coração se não conseguisse se acalmar. Ficou assim um bom tempo, de olhos fechados, pensando em sua pobre mãe, em Marisa, em sua família, em seus sócios, em seus amigos, na opinião pública. "Neste país até as pedras me conhecem, maldição." Tentava respirar normalmente, inspirando o ar pelo nariz e soltando pela boca.

Uma chantagem, lógico. Tinha sido estupidamente vítima de uma cilada. Mas aquilo tinha acontecido uns dois anos antes, talvez um pouquinho mais, lá em Chosica, não dava para esquecer. Chamava-se Kosut aquele iugoslavo? Por que só agora essas fotos ressuscitavam? E por que por intermédio daquele sujeitinho repugnante? Ele disse que não as publicaria e que não queria recompensa, e isso, evidentemente, era uma forma de comunicar que planejava fazer justamente o contrário. Insistiu que era um homem de princípios para lhe informar que se tratava de um delinquente inescrupuloso, decidido a surrupiar-lhe até a alma, a depená-lo, aterrorizando-o com o bicho-papão do escândalo. Pensou em sua mãe, naquele rosto tão digno e nobre devastado pela surpresa e pelo horror. Pensou na reação dos seus irmãos se vissem as fotos. E seu coração encolheu imaginando a cara de Marisa ainda mais branca do que era, lívida, com a boca aberta e os olhos cor de céu inchados de tanto chorar. Sentiu vontade de sumir. Precisava falar com Luciano imediatamente. Meu Deus, que vergonha. E se consultasse outro advogado? Não, que imbecilidade, ele jamais mostraria essas fotos a mais ninguém, só a Luciano, seu colega de colégio, seu melhor amigo.

O interfone tocou e Enrique pulou sobressaltado. A secretária lhe recordou que eram quase onze horas e ele tinha uma reunião de diretoria na Sociedade de Mineração. "Sim, sim, diga ao motorista que me espere com o carro na porta, já desço."

Foi lavar o rosto no banheiro e, enquanto o fazia, pensava, já se torturando: o que aconteceria se essas fotos chegassem a toda a cidade de Lima através de um jornal ou uma revista dessas que vivem de sensacionalismo, de iluminar em público as imundícies das vidas privadas? Meu Deus, precisava falar com Luciano o quanto antes; além de ser seu melhor amigo, o escritório dele era um dos mais prestigiados de Lima. Que surpresa e que decepção ia ter esse homem que sempre considerou Quique Cárdenas um modelo de perfeição.

III. Fim de semana em Miami

Como tinham combinado, Marisa e Chabela se encontraram no aeroporto Jorge Chávez uma hora e meia antes da saída do voo noturno da LAN para Miami. Foram tomar uma água mineral na sala VIP enquanto esperavam a partida. Quase todos os lugares estavam ocupados, mas descobriram uma mesinha isolada, perto do bar. Marisa estava sem maquiagem e de cabelo solto, só com uma fita, com os fios louros esvoaçando, uma expressão fresca, calça cor de canela, mocassins e uma bolsa grande da mesma cor. Chabela, por sua vez, maquiada com esmero, usava uma saia verde-pálido, uma blusa decotada, um casaquinho de couro e sandálias. Seu cabelo preto estava preso com a longa trança de sempre, que descia por suas costas até a cintura.

— Que bom que o Quique deixou, que maravilha você fazer esta viagem comigo — disse Chabela, rindo, quando se sentaram. — E como veio bonita esta noite. Por que será?

— Achei que ia ser difícil convencê-lo, já tinha inventado um monte de histórias — riu Marisa, corando. — À toa. Ele me disse logo que sim, pode ir. Na verdade, meu marido anda um pouco estranho nos últimos dias. Meio avoado, nas nuvens. Mas, falando em beleza, você está linda, também, com essa trança exótica.

— Sei perfeitamente o que está acontecendo com Quique — disse Chabela, muito séria de repente. — A mesma coisa que acontece com Luciano, com você, comigo e com todo o mundo, filhinha. Vendo esses apagões, bombas, sequestros e assassinatos todo santo dia, ninguém pode ficar tranquilo nesta cidade. Neste país. Ainda bem que nós vamos nos livrar de tudo isso, pelo menos durante este fim de semana. Ainda não se sabe nada sobre o Cachito?

— Parece que os sequestradores pediram seis milhões de dólares à família — disse Marisa. — Um gringo da companhia de seguros veio de Nova York para negociar. O coitado já está desaparecido há mais de dois meses, não é?

— Eu conheço a Nina, mulher dele — fez que sim Chabela.
— A pobre ficou muito abalada. Está indo a um psicólogo. Sabe o que mais me apavora, Marisa? Não é por Luciano nem por mim. É pelas minhas duas filhas. Tenho pesadelos pensando que podem ser sequestradas.

E contou a Marisa que ela e Luciano estavam cogitando contratar os serviços da Prosegur, uma empresa de segurança, para cuidar da casa e da família, principalmente das duas meninas. Mas custava uma fortuna!

— Quique também pensou nisso, depois que sequestraram o Cachito — disse Marisa. — Mas afinal desistimos, porque nos disseram que é perigoso. A gente contrata uns seguranças e depois eles mesmos nos roubam ou sequestram. Em que país resolvemos nascer, Chabelita!

— Parece que na Colômbia é pior ainda, Marisa. Lá não apenas sequestram, mas também cortam os dedos ou as orelhas da vítima para convencer a família e não sei quantos horrores mais.

— Que bom passar três dias em Miami, livres de tudo isso — disse Marisa, tirando os óculos e fitando a amiga com os olhos azuis cheios de malícia. Viu que Chabela estava um pouquinho ruborizada e, rindo para disfarçar, pegou e apertou seu braço. Ela então estendeu a mão, passou-a pelo cabelo da amiga e acrescentou: — Você sabe que esta trança fica fantástica em você, não sabe, amor?

— Morri de medo de que não aceitasse o meu convite — murmurou Chabela, abaixando um pouco a voz e apertando de novo o seu braço.

— Nem louca — exclamou Marisa e não conteve o gracejo: — Você sabe como eu adoro Miami!

Deu uma gargalhada, e Chabela a imitou. Riram por alguns momentos, as duas ruborizadas, olhando-se nos olhos com cumplicidade e uma pontinha de descaramento, disfarçando a turbação que sentiam.

Como de costume, a classe business estava lotada no voo da LAN. Elas tinham reservado a primeira fileira, de modo que ficaram um pouco isoladas do resto dos passageiros. Nenhuma das duas quis jantar, mas tomaram uma taça de vinho. Durante as cinco horas de voo falaram de muitas coisas, menos do que havia acontecido naquela noite, e quando, de repente, alguma alusão parecia evocar o assunto, desviavam a conversa para outra coisa dando uma risadinha nervosa. "O que vai acontecer em Miami?", perguntava-se Marisa, de olhos fechados, sentindo que às vezes o sono a vencia. "Vamos continuar evitando o assunto?" Sabia muito bem que não, mas havia algo insinuante, perturbador, algo deliciosamente atrevido em tentar imaginar o que iria suceder e como sucederia. De repente Marisa pensou que, quando chegassem ao apartamento de Chabela, queria desmanchar devagarzinho a longa trança da amiga, sentir seu cabelo liso e pretíssimo correr entre os dedos, de vez em quando se inclinando para beijá-lo.

Chegaram a Miami junto com as primeiras luzes do dia. No aeroporto, Chabela pegou o carro que havia alugado em Lima e, como havia pouco trânsito àquela hora, chegaram rapidamente ao apartamento de Luciano num edifício de frente para o mar e para Key Biscayne, na Brickell Avenue. O porteiro de uniforme e boné, que tinha um sotaque cubano, pegou as malas e levou-as para o apartamento, uma cobertura moderna com vista panorâmica para a praia. Marisa estivera lá uma vez, a caminho de Nova York, mas já fazia uns anos desde então. Teve a impressão de que havia quadros novos nas paredes — entre eles o Lam que estava antes na casa de Lima, junto com outro de Soto e um desenho de Morales — e que tinham mudado a decoração.

— Ficou maravilhoso, Chabelita — disse. — Que bonito olhar o mar daqui. Vamos para a varanda.

O porteiro tinha deixado as malas na entrada. A vista da varanda, àquela hora do amanhecer, com a luz incerta, as copas das árvores, a longa fileira de edifícios de Key Biscayne e a espuma branca das ondas cortando simetricamente a superfície verde-azulada do mar, era soberba.

— Podíamos descansar um pouco, primeiro, e depois descer e tomar um banho de mar — disse Chabela, e Marisa, com o coração aos pulos, sentiu que a amiga falava em seu ouvido exalando um hálito morno junto com as palavras. Já a tinha segurado pelos quadris e a apertava contra seu corpo.

Não disse nada, mas, fechando os olhos, virou-se e procurou aquela boca que tinha começado a beijá-la e a morder devagarzinho seu pescoço, as orelhas, o cabelo. Ergueu as mãos, pegou a trança e meteu os dedos entre os fios de cabelo da amiga, murmurando: "Vai me deixar soltar esta trança? Quero ver seu cabelo solto e beijá-lo todinho, amor". Abraçadas, agora sérias, saíram da varanda e, atravessando a sala de estar, a sala de jantar e um corredor, chegaram ao quarto de Chabela.

As cortinas estavam fechadas e reinava uma discreta penumbra no amplo dormitório atapetado, com quadros nas paredes — Marisa chegou a identificar um Szyszlo, um Chávez, o pequeno Botero e duas gravuras de Vasarely — e dois mimosos abajures, um de cada lado da cama, que parecia recém-arrumada. Enquanto uma despia a outra em silêncio, iam se acariciando e se beijando. Tonta de excitação e prazer, Marisa teve a sensação, durante aquele tempo congelado e intenso, de que uma delicada melodia vinha até elas, de algum lugar, como se tivesse sido expressamente escolhida para servir de fundo à atmosfera de abandono e felicidade em que estava imersa. As duas se amaram e gozaram e, enquanto isso, fora do quarto, longínquas, iam surgindo vozes, motores, buzinas, a luz externa recrudescia e Marisa chegou a pensar que as ondas estavam estourando cada vez mais forte e mais perto. Devagarzinho, exausta, foi escorregando para o sono. A trança de Chabela tinha sido desmanchada e sua cabeleira estava espalhada sobre o rosto, o pescoço e os peitos de Marisa.

Quando acordou já era pleno dia. Sentiu o corpo de Chabela encostado no seu; sua cabeça não estava no travesseiro, mas no ombro da amiga, e sua mão direita, sobre a barriga lisa e rígida que encostava na sua.

— Bom dia, dorminhoca — ouviu-a dizer e sentiu que roçava sua testa com os lábios. — Sonhando com os anjinhos? Você estava dormindo com um sorriso na boca.

Marisa se apertou contra Chabela, espreguiçando, beijando-a no pescoço, acariciando-lhe a barriga e as pernas com a mão livre.

"Acho que nunca me senti tão feliz na vida, juro", murmurou. Era verdade, sentia-se mesmo assim. A amiga então se virou, abraçando-a também, e disse com a boca grudada na sua, como se quisesse incrustar as palavras dentro do seu corpo:

— Eu também, amor. Passei todos esses dias sonhando em dormirmos juntas e acordar assim, como estamos agora. E me masturbava toda noite, pensando em você.

Beijaram-se de boca aberta, enlaçando as línguas, engolindo as salivas e esfregando as pernas, mas ambas estavam extenuadas demais para fazer amor de novo. Ficaram conversando, ainda abraçadas, com a cabeça de Marisa repousada no ombro de Chabela, a mão desta enleando os dedos, quase brincando, nos pelos púbicos ralos da sua amiga.

— Era verdade, havia música aqui — disse Marisa, escutando. — Eu ouvi, mas pensei que estava sonhando. De onde saiu?

— Deve ter sido a empregada que ligou quando veio limpar o apartamento — disse Chabela em seu ouvido. — Bertola, uma salvadorenha simpaticíssima, você vai conhecer. Ela mantém tudo impecável, paga as contas, deixa a geladeira cheia quando eu venho e é de toda confiança. Você não está com fome? Quer que eu faça um café da manhã?

— Não, ainda não, assim está gostoso, não levante — disse Marisa, segurando Chabela pelos quadris. — Gosto de sentir seu corpo. Você não sabe como estou feliz, coração.

— Vou confessar um segredo, Marisita. — E ela sentiu que a amiga, enquanto sussurrava em seu ouvido, mordia o lóbulo da orelha, devagarzinho. — Foi a primeira vez na vida que fiz amor com uma mulher.

Marisa tirou a cabeça do ombro de Chabela para olhá-la nos olhos. Estava muito séria e meio encabulada. Tinha uns olhos profundos, escuros, feições muito marcadas, uma cútis lisa e sem manchas, uma boca de lábios grossos.

— Eu também, Chabela — murmurou. — Primeira vez. Acredite se quiser.

— É mesmo? — respondeu a amiga, com cara de incredulidade.

— Juro. — Marisa voltou a pousar a cabeça no pescoço de Chabela. — E não é só isso. Quer saber de uma coisa? Eu tinha preconceito, quando ouvia falar que fulaninha gostava de mulher, que era invertida, eu sentia um pouco de nojo. Que idiota, não é mesmo?

— Eu, nojo não, sentia mais uma curiosidade — disse Chabela. — Mas, de fato, você só se conhece mesmo quando as coisas acontecem. Porque, naquela noite, quando eu acordei sentindo sua mão na minha perna e seu corpo coladinho nas minhas costas, senti uma excitação que nunca havia sentido. Comichão entre as pernas, o coração pulando pela boca, fiquei toda molhadinha. Não sei como tive coragem de pegar sua mão e...

— ... colocá-la aqui — murmurou Marisa, tateando, abrindo-lhe as pernas, tocando o púbis, esfregando de levinho os lábios do seu sexo. — Posso dizer que amo você? Não vai se incomodar?

— Eu também amo você. — Chabela retirou a mão com carinho, beijando-a. — Mas não me faça gozar de novo, eu nunca mais me levantaria desta cama. Vamos abrir a cortina? Quero que veja como o mar está bonito.

Marisa viu-a sair nua da cama — constatou de novo que sua amiga tinha um corpo jovem e duro, sem um pingo de gordura, cintura estreita, peitos firmes —, e viu-a abrir a cortina apertando um botão na parede. Agora entrava pela janela uma luz intensa que iluminou todo o quarto. Era elegante, sem excessos nem afetação, tal como sua casa de Lima, tal como eram Chabela e Luciano em sua maneira de vestir-se e de falar.

— Não é linda a vista? — Chabela voltou depressa para a cama, cobrindo-se com o lençol.

— Sim, mas você é ainda mais linda, amor — disse Marisa, abraçando-a. — Obrigada pela noite mais feliz da minha vida, Chabela.

— Já fiquei excitada de novo, sua bandida — disse Chabela, procurando sua boca, tocando seu corpo. — E, agora sim, você me paga.

Levantaram-se no meio da manhã e prepararam o café de roupão, descalças, conversando. Marisa telefonou para o escritório e

Enrique a tranquilizou, disse que estava muito bem, mas ela o achou esquisito e tristonho. Chabela não conseguiu falar com Luciano, mas sim com a mãe — que ficava na sua casa quando ela viajava —, que lhe disse que as duas meninas tinham ido para o colégio na hora certa e que iam telefonar logo que voltassem.

— Não se preocupe com Quique, Marisa — garantiu sua amiga. — Com certeza não aconteceu nada de especial com ele, é só o que todos os peruanos estão sentindo agora por causa dos malditos terroristas. Às vezes Luciano também tem essas depressões, como Quique. Na semana passada, por exemplo, ele disse que se as coisas continuarem assim vai ser mais sensato sair do Peru. Ele poderia trabalhar em Nova York, no escritório onde estagiou depois de se formar na Columbia University. Mas eu não me empolgo muito com a ideia. Não quero ficar longe da minha mãe, que já vai fazer setenta anos. E não sei se gostaria que minhas filhas fossem educadas como duas gringuinhas.

Tomaram um bom café da manhã, com suco de frutas, iogurte, ovos quentes, *english muffins* e café, e decidiram não almoçar para de noite irem jantar num bom restaurante em Miami Beach.

Quando Marisa perguntou a Chabela quais eram os consertos que precisava fazer no apartamento, esta soltou uma gargalhada:

— Nenhum. Foi só um pretexto; inventei isso só para fazer esta viagem e trazer você a Miami.

Marisa pegou sua mão e beijou-a. Vestiram roupa de praia e, armadas de toalhas, cremes, óculos escuros e chapéus de palha, foram tomar sol na areia. Havia pouca gente e, apesar de fazer muito calor, uma brisa fresca suavizava o clima.

— E se Luciano soubesse? — perguntou Marisa à amiga.

— Morreria — respondeu Chabela. — Meu marido é o homem mais conservador e puritano do mundo. Imagine que até hoje quer fazer amor de luz apagada. E Quique, o que ele diria?

— Não sei — disse ela. — Mas não creio que ficasse tão horrorizado. Com aquele jeitinho todo bem-comportado, ele tem muita coisinha suja na cabeça. Quer saber um segredo? Às vezes ele me diz que a fantasia mais excitante que tem é me ver fazendo amor com uma mulher e depois com ele.

— Ah, caramba, quem sabe poderíamos lhe dar esse prazer — riu Chabela. — Quem diria, com aquela cara de mosquinha-morta que seu marido tem...

Depois as duas confessaram que tinham muita sorte com seus maridos, que os amavam muito, que eram felizes com eles. Aquilo que estava acontecendo entre elas tinha que ficar no maior segredo para não prejudicar em nada seus casamentos; serviria, mais, para temperá-los e mantê-los sempre ativos.

À tarde iriam fazer compras, talvez ir a um cinema, e depois jantar no melhor restaurante de Miami Beach ou de Key Biscayne, com champanhe francês. Ia ser um fim de semana verdadeiramente inesquecível.

iv. O empresário e o advogado

A firma Luciano Casasbellas Advogados também ficava em San Isidro, a poucas quadras do escritório de Enrique, e, no passado, ele costumava percorrê-las a pé, mas agora, por receio dos sequestros do MRTA e dos atentados do Sendero Luminoso, só ia de carro. O chofer deixou-o na porta do escritório de advocacia, que ocupava todo o edifício, e Quique mandou que o esperasse. Subiu direto para o quinto andar, onde ficava a sala de Luciano. A secretária disse que o doutor já estava à sua espera, podia entrar sem bater.

Luciano se levantou para recebê-lo e, pegando seu braço, o levou para umas confortáveis poltronas dispostas ao pé de uma estante envidraçada, cheia de livros encadernados em couro e simétricos. O tapete persa, os retratos e quadros nas paredes da sala eram, como o próprio Luciano, elegantes, sóbrios, conservadores, vagamente britânicos. Havia fotos de Chabela e de suas duas filhas numa prateleira, e do próprio Luciano, jovem, com toga e barrete, no dia da sua formatura na Universidade Católica de Lima, e outra, mais ostentosa, da cerimônia do seu doutoramento na Columbia University. Quique lembrou que no Colégio de la Inmaculada seu amigo recebia todo ano o cobiçado Prêmio de Excelência.

— Faz semanas que não nos vemos, Quique — disse o advogado, dando-lhe uma palmadinha afetuosa no joelho. Segurava os óculos na outra mão e estava sem paletó, com uma camisa de listras impecavelmente passada e, como sempre, com gravata e suspensórios; seus sapatos brilhavam como recém-engraxados. Era magro, alto, tinha olhos claros e um pouco achinesados, cabelo grisalho e entradas na testa, anúncio de uma calvície prematura. — Como vai a bela Marisa?

— Bem, bem — devolveu-lhe o sorriso Enrique, pensando:

"É o meu melhor amigo desde que usávamos calça curta, será que vai continuar sendo depois disto?". Estava abatido e envergonhado, e sua voz parecia insegura. — Quem não está nada bem sou eu, Luciano. Por isso vim aqui.

Sua voz tremia, e Luciano se deu conta, porque ficou muito sério. Observou o amigo com mais atenção.

— Tudo na vida tem solução, menos a morte, Quique — tentou animá-lo. — Vamos, conte tudinho, como diz Luciana, minha filha caçula.

— Eu recebi uma visita inesperada há uns dias — balbuciou ele, sentindo que suas mãos estavam úmidas. — Um tal de Rolando Garro.

— O jornalista? — surpreendeu-se Luciano. — Não deve ter sido para nada de bom. Esse sujeito tem uma fama péssima.

Enrique lhe contou a visita com todos os detalhes. Às vezes ficava em silêncio, procurando a palavra menos comprometedora, e Luciano esperava, calado, paciente, sem apressá-lo. Por fim, Enrique tirou da maleta a pasta presa com dois elásticos amarelos. Depois de entregá-la a Luciano, tirou o lenço do bolso e enxugou as mãos e a testa. Estava molhado de suor e respirando com dificuldade.

— Você não sabe como hesitei antes de vir aqui, Luciano — desculpou-se, cabisbaixo. — Estou com vergonha, com nojo de mim mesmo. Mas isto é tão pessoal, tão delicado que, na verdade, não sabia o que fazer. Em quem posso confiar a não ser em você, que é como meu irmão?

Perdeu a voz e pensou, assombrado, que estava quase chorando. Luciano, debruçado sobre a mesa, serviu-lhe um copo de água com um jarrinho de cristal.

— Para começar, não perca a calma, Quique — disse, afetuoso, dando um tapinha em suas costas. — Claro que você fez muito bem em vir me procurar. Por pior que seja o problema, vamos encontrar uma solução. Você vai ver.

— Espero que não fique me desprezando depois disto, Luciano — murmurou Quique. E apontou para a pasta: — Você vai ter uma grande surpresa, estou lhe avisando. Abra de uma vez.

— Advogado é uma espécie de confessor, velho — disse Luciano, colocando os óculos. — Não se preocupe. Minha profissão me preparou para tudo de bom, de ruim, e para o pior.

Enrique viu-o abrir cuidadosamente a pasta, tirar os elásticos amarelos e, depois, o papel que envolvia as fotos. Viu que a cara de Luciano se contraía um pouco de surpresa e, de repente, empalidecia. Não tirava a vista das imagens nem para se virar e olhá-lo, e não fazia qualquer comentário enquanto ia passando bem devagar, uma por uma, as escandalosas fotografias. Quique sentiu seu coração trovejando dentro do peito. O tempo tinha parado. Lembrou que, quando eles dois eram crianças e estudavam juntos para as provas, Luciano se concentrava nos livros como agora, entrando de corpo e alma naquilo que via. Mudo e metódico, olhava de novo as fotos, de trás para a frente. Por fim, levantou a cabeça e, fitando-o com seus olhos inquietos, perguntou em voz neutra:

— Não há a menor dúvida de que é você, Quique?

— Sou eu, Luciano. Sinto muito, mas sou eu mesmo.

O advogado estava muito sério; balançava a cabeça e parecia refletir. Tirou os óculos e deu-lhe outra palmada afetuosa no joelho.

— Trata-se de chantagem, isto é bem claro — disse afinal, enquanto, com grande cuidado, ganhando tempo, embrulhava de novo as fotos no papel de seda, guardava tudo na pasta e fechava com os elásticos amarelos. — Querem seu dinheiro. Mas antes quiseram amolecer você, com a ameaça de um grande escândalo. Não quer deixar isso comigo? É melhor ficar aqui, guardado no cofre. Não devem cair nas mãos de ninguém, principalmente de Marisa.

Enrique concordou. Bebeu mais um gole de água. De repente sentia-se aliviado, como se, ficando longe dessas imagens, sabendo que estariam bem protegidas no cofre do escritório de Luciano, a ameaça potencial que elas continham houvesse diminuído.

— Foram tiradas há uns dois anos, Luciano — explicou. — Mais ou menos, não lembro bem a data, talvez um pouquinho mais. Em Chosica. Tudo foi organizado pelo iugoslavo, acho que já lhe falei dele. Sérvio ou croata, algo assim. Um tal de Kosut. Lembra?

— Iugoslavo? Kosut? — Luciano negava com a cabeça. — Não mesmo. Eu conheci?

— Acho que o apresentei, não tenho muita certeza — continuou Quique. — Sérvio ou croata, pelo menos era o que ele dizia. Queria investir em mineração, tinha cartas de recomendação do Chase Manhattan e do Lombard Bank. Agora estou lembrando. Kosak, Kusak, Kosut, uma coisa assim. Devo ter os cartões dele em algum lugar. Um cara estranho, misterioso, que desapareceu de repente. Nunca mais ouvi falar dele. Tem certeza de que não lembra?

— Absoluta — afirmou Luciano. E encarou-o, falando com severidade: — Ele organizou essa bacanal? Ele tirou essas fotos?

— Não sei — disse Quique. — Não sei quem tirou. Eu não percebi nada, como você há de imaginar. Nunca permitiria. Mas, é sim, deve ter sido. Ele também estava lá. Kosak, Kusak, Kosut, um nomezinho desses centro-europeus, algo assim.

— Armou uma emboscada e você caiu como um patinho, para não dizer como um babaca — deu de ombros Luciano. — Há dois anos, tem certeza? E só agora se manifesta?

— É isso o que mais me intriga — disse Enrique. — Dois anos ou dois anos e meio depois, pelo menos. Ele passou vários meses em Lima, hospedado no Hotel Sheraton. Eu o apresentei a algumas pessoas. Depois, um belo dia me deixou um bilhete dizendo que precisava ir urgentemente a Nova York e que logo em seguida voltaria para Lima. Nunca mais ouvi falar dele. Tinha milhões de dólares para investir, dizia. Eu o ajudei, um dia levei-o à Sociedade de Mineração e ele fez uma pequena palestra. Falava um bom espanhol. Não parecia um gângster nem nada do gênero. Enfim, Luciano, não sei o que dizer. Eu fui muito idiota, claro que fui. Além do mais, você pode não acreditar, mas foi a primeira e última vez que eu...

Perdeu a voz e não conseguiu terminar a frase. Seu rosto estava em brasa, piscava sem parar e sentia uma vergonha tão grande que queria sair dali correndo e nunca mais ver seu melhor amigo.

— Fique calmo, Quique — sorriu-lhe Luciano. — Em casos assim o mais importante é manter a cabeça fria. Quer mais um copo de água?

— Ele me pegou de surpresa — disse Enrique. — Assim que vi aquele jornalista senti nojo. Há algo repulsivo nele, seu jeitinho bajulador, seus olhinhos de rato. Só pode ser chantagem. Claro, foi o que eu pensei.

— Ele foi mostrar as fotos para assustá-lo com a ameaça de escândalo — assentiu Luciano. — Pelo visto conseguiu. Para começo de conversa, fique sabendo que o pior a fazer é negociar com gente assim. Eles continuariam pedindo mais e mais dinheiro, nunca entregariam todos os negativos dessas fotos. Seria uma história sem fim. A primeira coisa que me ocorre é dar um bom susto no jornalista. Mas esse palerma deve ser um simples intermediário, um instrumento. Iugoslavo, você disse?

— Kosuk, Kosok ou Kosut — repetiu Quique. — Devo ter os cartões dele, cópias das cartas de recomendação que trouxe. Queria investir em minas, procurava sócios peruanos. Dava almoços, esbanjava como se fosse riquíssimo, sempre mão aberta. De repente, o tal bilhete dizendo que tinha que ir urgentemente para Nova York. E desapareceu. Agora ressuscita com essas fotos. Dois anos ou dois anos e meio depois. Não tem pé nem cabeça, certo?

Luciano estava pensativo e Enrique se calou.

— Em que está pensando, Luciano?

— Havia mais alguém, fora ele e as garotas, nessa festinha? — perguntou. — Quer dizer, alguém conhecido?

— Só ele e eu — afirmou Quique. — E elas, claro.

— E o fotógrafo — corrigiu Luciano. — Não notou que estava sendo fotografado?

— Eu nunca permitiria — protestou de novo Quique. — Não notei nada. Foi tudo muito bem armado. Não me passou pela cabeça que aquilo podia ser uma arapuca. Imagine se essas fotos saírem na *Revelações*. Com certeza você nunca folheou esse pasquim. É um poço de imundícies, de fofocas e de baixezas. Uma publicação de uma vulgaridade nauseabunda.

— Sim, já passou pelas minhas mãos, devo ter dado uma olhada — disse Luciano. — Sabe, aqui na firma temos dois ótimos advogados criminalistas. Deixe-me conversar com eles, mantendo todas as reservas do caso, naturalmente. Vou contar o problema e ver o que opinam. Esta mesma tarde. E depois lhe telefono. Enquanto isso, procure ficar calmo. Nem pense em abrir o bico sobre o assunto com ninguém. Se for necessário iremos até Fujimori. Ou ao próprio Doutor. E, naturalmente, não fale mais com Garro. Nem pelo telefone.

Levantou-se e o acompanhou até a porta. Lá, trocaram umas frases convencionais sobre Marisa e Chabela que, pelo visto, pareciam estar muito contentes com a viagem de fim de semana para Miami. Tinham que se ver e sair juntos um dia destes, insistiu Luciano, como se nada houvesse mudado entre eles dois. Claro, claro.

Enrique saiu do escritório de Luciano mais abatido do que entrou. Sentia tristeza e estava convencido de que as coisas na sua vida jamais voltariam a ser como eram antes daquela horrível visita.

v. O covil das fofocas

— Eu pedi peitos disformes, barriga e bunda monstruosas — protestou Rolando Garro, sacudindo as fotografias como se fosse jogá-las na cara do fotógrafo que, intimidado, deu um passo para trás. — E você me vem com esta mocinha de boa aparência. Acho que não me entendeu, Ceferino. Será que falei tão difícil que essa sua cabecinha de braquicéfalo não conseguiu captar?
— Sinto muito, senhor — balbuciou Ceferino Argüello. O fotógrafo da *Revelações* era um caboclinho de idade indefinida, esquálido, com o cabelo liso escorrendo até os ombros, sobrancelhas espessas, usando uma velha calça jeans e chinelos de dedo. Olhava com os olhos esbugalhados para o diretor da revista, morrendo de medo. — Posso voltar ao show esta noite e tirar outras, senhor.
Garro parecia não ter escutado. Fulminava o outro com seu olhar e a fúria da sua voz.
— Vou explicar de novo, vamos ver se desta vez a coisa entra na sua cachola de brontossauro — disse, com uma cólera surda. Da sua mesa dominava todo o pequeno aposento que era a redação da revista, um velho casarão de dois andares na rua Dante, em Surquillo, e podia observar que a meia dúzia de redatores e repórteres estava com a cabeça enfiada em seus computadores ou papéis; nenhum deles, nem Estrellita Santibáñez, que era a mais curiosa, se atrevia nem sequer a virar os olhos para espiar a dura que ele estava dando no fotógrafo. Àquela hora da manhã já havia barulho de caminhões, gritaria de vendedores e um intenso ir e vir de transeuntes pelo bairro, nas imediações do mercado próximo.
— Claro que entendi bem, senhor — murmurou o fotógrafo. — Juro que entendi.
— Não! Não entendeu nada — gritou Rolando Garro, e

Ceferino Argüello recuou mais um passinho. — A ideia não é fazer publicidade nem aumentar os cachês da caolha. A ideia é jogá-la na lama, desmoralizá-la para sempre. A ideia é que fique de fora do show porque é feia, velha e não sabe rebolar. Essas fotos vão ilustrar um artigo onde dizemos que graças à caolha o espetáculo do Monumental está virando uma porcaria que ninguém aguenta mais. Que ela, além de não saber dançar nem cantar, se tornou um monstro de feiura, e que seu lugar não é no palco, mas em filmes de terror. Deu para entender, ou ainda não entrou na sua cabeça?

— Claro que entendi, senhor — repetiu o fotógrafo. Estava lívido, falando com dificuldade, e era óbvio que queria sair dali o quanto antes. — Juro pela minha mãe que entendi.

— Está bem. — O diretor jogou no chão as fotos que tinha na mão. Apontou para elas dizendo a Ceferino Argüello: — Jogue este lixo no lixo, por favor.

Viu o fotógrafo se agachar para pegá-las e depois sair, todo encolhido. Reinava um silêncio absoluto naquele recinto apertado, que devia ter sido a sala de jantar da casa antes de se transformar em redação de um semanário. As mesinhas rústicas estavam encostadas umas nas outras por falta de espaço e as paredes descascadas fervilhavam de capas já desbotadas de números antigos da *Revelações,* com nus suntuosos e manchetes escandalosas. Rolando Garro voltou para sua mesa, colocada sobre um estrado, o que lhe dava uma visão completa de toda a equipe. Tentou se acalmar. Por que tinham lhe irritado tanto essas fotos ruins da caolha que o fotógrafo lhe trouxera? Teria sido severo demais com o pobre Ceferino Argüello que, sem saber nem querer, lhe fez um grande favor com aquelas fotos de Chosica? Talvez. E o humilhou na frente de toda a redação. Qualquer pessoa com um pouco de dignidade pediria demissão. Mas ele era pobre demais para se dar ao luxo de ter dignidade, e também, provavelmente, casado e com filhos, de maneira que ia ter que engolir a humilhação e continuar na revista porque dependia do salário que ganhava ali para sobreviver. Mas, sem dúvida, iria odiá-lo mais um pouco. Por outro lado, o caso das fotos de Chosica mantinha Ceferino amarrado a ele. Ora, pensou, achando graça, se tudo corresse bem lhe daria um bom presente. Ser odiado pelos outros não era coisa que tirasse o sono de Rolando Garro. Até lhe dava certa satisfação: ser odiado era ser temido, um reconhecimento. Coisa que os peruanos faziam muito bem: lamber as botas que os chutavam. Prova disso? Fujimori e o Doutor. Bem, já era hora de esquecer o desmazelado do Ceferino e voltar a trabalhar.

Na verdade, não estava zangado com ele, e sim com a caolha. Por quê? Porque a tinha visto e ouvido na televisão, uns dois meses antes, nada menos que num programa popular como o de Magaly, dizendo que era uma vergonha a existência de revistas como a *Revelações*, nas quais os artistas eram expostos a campanhas de desmoralização e calúnias sobre sua vida particular. E a caolha dizia essas coisas esbugalhando os olhos e negando vigorosamente que a polícia a tivesse encontrado fazendo amor com um homem num táxi, como afirmou a revista sensacionalista do sr. Rolando Garro. Imaginou a caolha nua, fazendo amor dentro de um calhambeque com uma escória humana igual a ela. Que nojo! Quem seria o pobre-diabo que ficava de pau duro com aquele bagre adiposo? A partir desse dia meteu na cabeça que iria acabar com ela, deixá-la no olho da rua. Mas para isso havia necessidade de uma boa pesquisa. E já estava feita. A Baixinha tinha realizado um excelente trabalho, como sempre. O mundo ia cair em cima dela, perderia o trabalho e teria que virar puta para não morrer de fome. Garro tinha avisado com toda a clareza ao gerente do Monumental: "Enquanto a caolha estiver dançando no seu show, vou fazer você suar frio, compadre". Era uma fórmula que fazia tremer os roteiristas de rádio e televisão, os produtores e bailarinos dos espetáculos de music hall e da telinha e, claro, toda a fauna que a caolha chamava de "os artistas".

Levantou-se e chamou Julieta Leguizamón. A Baixinha era tão pequena que, vista de costas, podia passar por menina. Morena, de cabelo crespo, sempre de tênis, com uma calça de moletom e uma blusa amarrotada, magrinha e frágil, havia nela contudo algo impressionante: seus grandes olhos incisivos e inteligentes, sempre possuídos por uma estranha imobilidade impassível que Rolando Garro só tinha visto em certos animais. Pareciam perfurar as pessoas, faziam aqueles que ela olhava se sentirem constrangidos como se estivessem com suas vergonhas à mostra.

— Como está o artigo, Baixinha?

— Saindo, falta pouco — disse ela, cravando-lhe aqueles olhos que nunca piscavam, geralmente frios com todo o mundo, menos com ele, pois a Baixinha professava uma devoção canina por Rolando. — Não se preocupe; descobri muitas coisas novas sobre a caolha. Que vão machucar, garanto. Ela esteve internada numa casa de detenção quando era jovem, por algum delito menor. É mentira que tenha sido cantora e bailarina profissional no México. Não há qualquer prova disso. Fez dois abortos com uma parteira muito popular, uma negra de Cinco Esquinas que eu conheço. Conhecida como Limbômana, imagine só. E, o melhor de tudo, uma filha da caolha está na penitenciária feminina por tráfico de drogas.

— Formidável, Baixinha — Rolando deu uma palmadinha no braço da sua principal redatora. — Material mais que suficiente para mandá-la para o inferno.

— Falta pouco — sorriu-lhe a Baixinha e voltou para sua mesa.

"Nunca me falha", pensou Rolando, vendo-a se sentar na cadeirinha que suplementava com uma almofada para ficar à altura do tampo da mesa. A Baixinha era sua grande descoberta. Tinha aparecido na revista dois ou três anos antes com seu jeans desfiado, seu tênis sem cadarço e umas folhas escritas à mão que, sem preâmbulos, lhe entregou dizendo descaradamente: "Eu quero ser jornalista e trabalhar na *Revelações*, senhor". Rolando lhe perguntou quais eram suas credenciais. Que estudos e experiências tinha na profissão.

— Nada — confessou a Baixinha. — Mas lhe trouxe isto que escrevi. Leia, por favor.

Alguma coisa nela lhe caiu bem, e leu. Naquelas quatro pagininhas dedicadas a uma estrela da televisão havia tanto veneno e ódio, tantas doses de má-fé que Garro ficou impressionado. Começou a lhe dar uns biscates, pesquisas, segmentos, servicinhos. Julieta nunca o decepcionou. Era uma jornalista nata e da mesma estirpe que ele, capaz de matar a própria mãe por um furo, principalmente se fosse algo sujo e escabroso. Seu artigo sobre a caolha ia ser genial e letal, porque a Baixinha sempre assumia como próprios os gostos e desgostos do diretor.

Começou a editar o número seguinte da *Revelações* com o material que tinha. Ainda contava com vinte e quatro horas para entregar tudo à gráfica, mas era melhor deixar o trabalho adiantado para que o último dia, o do fechamento, não fosse uma loucura como sempre. Mas ia ser, que remédio, inevitavelmente sempre apareciam no último minuto coisas a acrescentar ou substituir no que havia sido planejado.

Que idade tinha Rolando Garro? Ele mesmo não sabia, e provavelmente mais ninguém. Nem qual era o seu verdadeiro nome. No asilo onde sua mãe o abandonou foi batizado como Lázaro porque, ao que parece, as freiras do convento das Descalças o encontraram no dia de São Lázaro choramingando no chão, ao lado da entrada da instituição que dirigiam na interseção do largo Junín com o largo Huánuco, nos Bairros Altos de Lima. O casal Albino e Luisa Torres, que o adotou, não gostava do nome e o substituiu por Rolando. Lembrava que tinha se chamado Rolando Torres quando era criança, mas, em algum momento, e por alguma razão misteriosa, trocaram seu sobrenome e passou a chamar-se Rolando Garro. Era assim que estava registrado em sua carteira de identidade e no passaporte. Ele não pensava muito nessas suas origens misteriosas, só o fazia em casos excepcionais; por exemplo, nos dias em que precisava tomar, na sua casinha localizada em Chorrillos, uns comprimidos que o sedavam e faziam dormir dez horas seguidas (acordava confuso e aturdido como um zumbi). Procurava só tomar nos dias em que se sentia desequilibrado ou deprimido, mas o psiquiatra lhe disse que, dada a sua endiabrada constituição psicológica, esses estados de ânimo não eram recomendáveis para ele, porque corria o risco de ficar louco de verdade ou paralisado. O que ia acontecer se perdesse o juízo? Teria que viver como mendigo nas ruas de Lima. Porque Rolando, desde que fugiu da casa dos pais adotivos quando lhe contaram que não era seu filho biológico e que viera de um asilo, era mais sozinho no mundo que um eremita. E certamente ia continuar assim pelo resto da vida porque, apesar de ter vivido algumas aventuras com mulheres, nunca conseguiu manter uma relação estável com nenhuma delas: todas o dispensavam por causa do seu maldito caráter, quando não era ele quem as largava.

Seus pais adotivos lhe revelaram que era um enjeitado quando ele estava no quinto ano do curso secundário no Colégio Nacional Ricardo Palma, de Surquillo, ali mesmo, não muito distante da sede da *Revelações*. Nessa mesma noite fugiu de casa, roubando todo o dinheiro que o pai adotivo escondia no quarto, numa pasta de couro disfarçada atrás de uns tijolos soltos. Esses seiscentos e poucos soles lhe permitiram dormir por várias noites em pensões vagabundas no centro de Lima. Para sobreviver fez todos os trabalhos possíveis, de lavar carros nos estacionamentos a descarregar caminhões em La Parada. Um dia deu de cara com sua vocação e ao mesmo tempo descobriu o seu talento: a bisbilhotagem jornalística.

Aconteceu numa pensão do largo Ocoña, onde ele almoçava por poucos soles um menu fixo: um prato de sopa, arroz com feijão e compota. Um jornalista do *Última Hora*, que costumava encontrar por lá, veio lhe contar que estava na pista de um possível adultério de Sandra Montero com seu colega de programa Felipe Cailloma, sobre o qual corriam boatos contraditórios no mundo do espetáculo. Não queria dar uma mãozinha? O instinto lhe disse que aquilo lhe interessava. Respondeu que sim. Postou-se como cão de guarda na porta do edifício onde morava a apresentadora e animadora de televisão, e em menos de vinte e quatro horas havia seguido Sandra e descoberto que ela se encontrava com Felipe (os dois eram casados, portanto tratava-se de um adultério duplo) num hotel em Pueblo Libre, numa das esquinas da plaza Bolívar. Suas informações permitiram que o *Última Hora* fotografasse os adúlteros usando roupa de baixo.

Assim começou a carreira jornalística de Rolando Garro: como caçador de escândalos para o *Última Hora*, o jornal que, sob a direção de Raúl Villarán, introduziu a imprensa marrom no Peru. De repórter passou a redator especializado no chamado mundo do espetáculo, ou seja, nas intrigas e escândalos que deixavam em efervescência esse mundo de coristas, cantores chinfrins, atrizes e atores de radioteatro, donos de cabarés, empresários de music hall e de salsódromos, uma fauna que Rolando Garro, à medida que subia na vida e virava colunista, diretor de programas de rádio e depois de televisão, chegou a conhecer como a palma da sua mão. A usar como bem entendesse e contribuir sem piedade para corrompê-la.

Tinha um bom público que acompanhava, feliz, as revelações que fazia acusando cantores e músicos de maricas, suas explorações mórbidas da intimidade de pessoas públicas, suas "notícias de primeira mão" expondo sujeiras e vergonhas que sempre exagerava e às vezes inventava. Sempre teve sucesso em tudo o que fez. Mas nunca durou muito em nada, porque os escândalos, o grande segredo da sua popularidade — ele os descobria ou provocava —, geralmente o metiam em confusões judiciais, policiais e pessoais que muitas vezes não terminavam bem. Os diretores de jornais, rádios e emissoras de televisão acabavam dispensando-o por causa dos protestos e ameaças que recebiam e porque Garro era capaz, em seu frenético desempenho, de torná-los vítimas, às vezes, dos mesmos escândalos que ele promovia e atiçava. Em certas épocas ganhava muito dinheiro, que esbanjava à vontade, para depois viver na corda bamba com suas escassas economias, algumas vezes no olho da rua. Não tinha amigos, tinha cúmplices ocasionais e, sem dúvida, inimigos multitudinários, o que o fazia viver permanentemente sobressaltado, mas não deixava de lisonjear sua vaidade.

Revelações já tinha três anos. Agora estava bastante bem, dizia-se que graças ao Doutor que, segundo os boatos, teria se tornado mecenas do semanário, o amo secreto de sua existência um tanto marginal. A revista era um relativo sucesso de vendas, mas quase não tinha publicidade, de modo que mal pagava as despesas. Rolando Garro complementava seus proventos pessoais extorquindo vedetes e produtores com a ameaça de denunciar seus pecadinhos secretos e, às vezes, recebendo dinheiro de gente que queria prejudicar seus competidores e inimigos desmoralizando e ridicularizando essas pessoas. Teve que responder a muitos processos, mas sobreviveu a todos esses perigos que considerava conaturais ao tipo de jornalismo que praticava e no qual atingira, sem dúvida, uma tortuosa genialidade.

Mas tudo isso não era nada em comparação com aquilo que, graças à Baixinha e ao infeliz do Ceferino Argüello, tinha agora nas mãos. Fechou os olhos e lembrou a cara de surpresa do engenheiro Enrique Cárdenas quando lhe entregou o pacote com as fotos. Ele sempre tinha pensado que algum dia teria uma oportunidade de ficar famoso, poderoso, rico, talvez as três coisas ao mesmo tempo.

E estava certo de que era esse o maravilhoso presente dos deuses que finalmente caíra do céu em suas mãos.

— Já terminei o artigo, chefe, a caolha vai comer fogo — disse a Baixinha, entregando-lhe umas laudas impressas e olhando fixamente para ele com suas pupilas que emitiam uma risonha maldade fria.

VI. Uma ruína do mundo do espetáculo

Juan Peineta saiu do Hotel Mogollón, na terceira rua do largo Huallaga, seguido por Serafín. Ainda era cedo e o centro de Lima estava meio deserto. Viu garis, vendedores de *emoliente* — "relíquias de tempos idos", fantasiou —, notívagos de uma longa noite e os mendigos e vagabundos de sempre cochilando nas esquinas e nos saguões. Uns urubus madrugadores bicavam o lixo espalhado na pista, grasnando. Mais uma vez tentou lembrar como se chamava antes de adotar, ainda muito jovem, o nome artístico pelo qual todos o conheciam (bem, no tempo em que era conhecido): Roberto Arévalo? Não, não era este de jeito nenhum. Ainda havia documentos seus no monte de papéis que guardava numa caixa de papelão em seu quartinho no Hotel Mogollón, a certidão de nascimento, por exemplo, com seu antigo nome, mas ele não queria ler e sim lembrar. Fazia dois dias que estava lutando contra esse esquecimento. Sua memória falhava tanto que passava boa parte do tempo concentrado nisso que estava fazendo agora: tentar pescar, na confusa maçaroca que era sua cabeça, alguma palavra extraviada, caras, nomes ou episódios meio apagados. Só não se esquecia nunca dos nomes de Felipe Pinglo, o bardo imortal, um dos seus ídolos na infância, e de Rolando Garro, o homem que havia destruído a sua vida; por isso, duas ou três vezes por semana mandava cartas contra ele para os jornais, rádios e revistas que poucas vezes as publicavam. Mas ficou conhecido por essas cartas persistentes, e no mundo do espetáculo riam dele.

    Chegaram à esquina de Emancipación, e Serafín, como sempre fazia em ruas e avenidas muito movimentadas, parou, esperando que Juan o levantasse. Este o fez, atravessou a avenida com ele nas mãos e na outra calçada deixou-o no chão. Sua relação com Serafín já durava cerca de três anos. "Os anos da minha decadência", pensou. Não, sua verdadeira decadência — mudar de ofício, trair a própria vocação — vinha de bem antes, uma década pelo menos, talvez mais. Um dia entrou no seu quarto do Hotel Mogollón — bem, chamar aquilo de quarto é exagero, era antes um buraco ou um cubículo — e viu um gato repousado sobre a cama. A única janelinha do quarto estava aberta. Tinha entrado por ali. "Fora, fora!", afugentou-o com as mãos, e o gato, assustado, pulou para o chão; Juan viu então que o animal quase não conseguia andar; arrastava as patas traseiras como se estivessem mortas. E, quase estendido ali no chão, começou a chorar como choram os gatos, com uns miados baixinhos e prolongados. Ficou com pena, levou-o para a cama e até dividiu com ele a garrafinha de leite que bebia de noite antes de dormir. No dia seguinte levou-o à Clínica Veterinária Municipal, que era gratuita. O veterinário que o examinou disse que o gatinho — um bebê — não estava com as patas quebradas, só machucadas por um golpe, talvez, desses moleques que se divertiam dando pedradas com suas atiradeiras nos animais soltos em Lima; ia se recuperar logo, sem necessidade de remédios nem de imobilização. A partir de então, depois de batizar o gato como Serafín — em homenagem a Serafín Álvarez Quintero, um dos seus pontos fortes quando era recitador profissional —, adotou-o. O bichinho se tornou seu companheiro e amigo. Um companheiro muito especial, sem dúvida, um liberto; às vezes sumia durante vários dias e depois voltava de repente como se nada houvesse acontecido. Sempre deixava aberta a janelinha do seu cubículo, para que o animal pudesse ir e voltar à vontade.

Estranho bichinho, esse Serafín. Juan Peineta nunca soube se o gatinho gostava dele ou lhe era indiferente. Talvez gostasse à maneira dos gatos, quer dizer, sem a menor efusão de sentimentos. Às vezes se enroscava em seus braços, mas isso não era uma demonstração de carinho, e sim de que estava recebendo o seu prazer máximo: que Juan coçasse seu pescoço e a barriguinha. Às vezes, recitava para ele o que ainda guardava na memória dos velhos poemas do seu repertório, José Santos Chocano, Amado Nervo, Gustavo Adolfo Bécquer, Juan de Dios Peza, Juana de Ibarbourou, Gabriela Mistral — enfim, os resíduos de poemas que não tinham descarrilhado em sua mente —, e Serafín escutava aquilo com uma atenção que o comovia — "uma atenção equivalente a aplausos", pensou —, mas, outras vezes, com uma indiferença que chegava às raias do desprezo, dava meia-volta e o deixava recitando para os fantasmas enquanto ia se deitar, alisar os bigodes e dormir. "É um egoísta, um mal-agradecido", pensou. Sim, sem a menor dúvida, mas tinha se afeiçoado a ele. Aliás, era o único ser vivo por quem sentia afeto — bem, com exceção de Willy Ruletero e da gorda Crecilda, outra vítima do amaldiçoado Rolando Garro —, porque todos os outros foram morrendo e deixando-o cada vez mais sozinho. "Isso é o que você é, Juan Peineta", repetiu, pela centésima vez: "um órfão."

O que não esquecia nunca era o seu velho amor pelo gênio da canção *criolla*, Felipe Pinglo, e a sua própria idade: setenta e nove anos. Ali estava ele, resistindo à avalanche do tempo. Miserável, talvez, mas saudável, sem problemas além dos naturais para a sua idade — um pouco de surdez, vista ruim, sexo morto, andar lento e inseguro, um pouco de catarro ou gripe no inverno —, nada preocupante do ponto de vista físico, mas do mental, sim: a sua memória estava cada vez pior e não parecia impossível que acabasse como um fantasma de si mesmo, sem saber quem era, como se chamava nem onde estava. Riu sozinho: "Que triste fim para o famoso Juan Peineta!".

Tinha sido famoso? De certa forma, sim, principalmente na época em que recitava nos auditórios, entre um número e outro de dança e cantores folclóricos. O público aplaudia entusiasmado depois de ouvir "Voltarão as escuras andorinhas", de Bécquer, "Este era um inca triste de sonhadora face,/ olhos sempre a dormir e sorriso de fel", de Chocano, "Posso escrever os versos mais tristes esta noite" ou "Gosto quando te calas porque estás como ausente", de Neruda, ou as letras das valsas de Felipe Pinglo, seu prato forte. Pediam autógrafos. "Senhor poeta", chamavam, mas ele imediatamente retificava com a modéstia que sempre o caracterizou: "Poeta, não, minha senhora, só declamador". Também recitava em programas de rádio, mas nunca na televisão, brigada até a morte com a poesia. Algumas vezes tinha recitado em casas particulares, em festas ou recepções — primeiras comunhões, casamentos, aniversários, enterros —, ocasiões em que costumavam lhe pagar bem. Mas ganhar dinheiro nunca teve muita importância para Juan; ele gostava mesmo era de recitar, transmitir a palavra desses gênios sensíveis, os poetas, com sentimentos tão belos envolvidos na música cadenciada da boa poesia. Lembrou que às vezes recitava com tanta emoção que seus olhos ficavam rasos de lágrimas.

Seu amor e sua admiração sem limites por Felipe Pinglo foram herdados do pai, que conheceu e foi até companheiro de farras e saraus do bardo que em sua curta vida — nasceu em 1899 e morreu aos trinta e sete anos — elevou a música nativa, com suas composições, a píncaros que nem a valsa, nem a polca, nem as *marineras* ou *tonderos* atingiriam antes nem depois de sua fecunda existência. Juan só o conhecia pelas histórias e casos contados por seu pai que, apesar de não ser cantor nem tocar qualquer instrumento, tinha frequentado a vida boêmia e os saraus folclóricos dos Bairros Altos. Foi ali, naquelas vizinhanças, que Felipe Pinglo forjou boa parte das composições que o tornariam célebre. O pai de Juan lhe contou que estava no Teatro Alfonso XIII, de Callao, quando o cantor Alcides Carreño apresentou pela primeira vez em 1930 a mais famosa valsa de Pinglo, "O plebeu". Quando Juan Peineta e Atanasia se casaram, foram deixar o buquê de gardênias da noiva aos pés da estátua que imortalizava o bardo *criollo* em frente à casa onde nasceu, na quadra 14 do largo Junín, a poucos passos das Cinco Esquinas, o umbigo dos Bairros Altos. Ao morrer, Felipe Pinglo deixou umas trezentas valsas e polcas. Juan Peineta sabia de cor um bom número delas, e tinha muitas outras anotadas num grosso caderno escolar. Um dos seus orgulhos artísticos foi incorporar ao seu repertório de recitador alguns textos das valsas de Felipe Pinglo que, a seu ver — como sempre dizia ao público antes de recitá-los —, era um poeta tão grande quanto músico e compositor. Realmente Juan fazia muito sucesso recitando como poemas, sem a música, as letras de "Hermelinda", "O plebeu", "A oração do lavrador", "Rosa Luz", "De volta ao bairro" e "Amelia", a primeiro canção conhecida de Pinglo, composta quando ainda era menino. Antes de recitar as letras, Juan distraía o público contando histórias (verdadeiras ou inventadas) do bardo imortal: sua vida triste e enfermiça, sua pobreza, a modéstia da sua existência cotidiana, como introduziu na música peruana cadências que vinham do foxtrote e do *one-step* norte-americanos, na época muito em voga, e, sobretudo, que o primeiro instrumento musical que dominou foi a gaita e como, por ser canhoto, tinha que tocar violão ao contrário, o que lhe permitiu, dizia, descobrir novas tonalidades e sotaques para suas composições.

Juan Peineta conheceu Atanasia declamando. Não gostava de pensar em Atanasia porque seu coração batia descontrolado e ele acabava triste e deprimido, o que não era bom para a saúde. Mas, agora, já era difícil tirar Atanasia da cabeça: ali estava ela, na primeira fila do Clube Apurímac de Lima, com sua sainha cinza, sua blusa verde e seus sapatinhos brancos, escutando-o com fervor e aplaudindo até doerem as mãos. Tinha uns olhos que soltavam faíscas; quando ria, formavam-se covinhas nas bochechas e apareciam seus dentes bem-feitinhos. Depois da apresentação foi falar com ela e a moça lhe contou que era telefonista no Correio Central de Lima, solteira e sem compromisso. A festa de Apurímac se estendeu, os dois brindaram, dançaram valsas, boleros, uns *huaynitos*, e assim começou o relacionamento que acabaria em noivado e em casamento de muitos anos. Juan Peineta sentiu que tinham começado a escorrer lágrimas pelas rugas do seu rosto. Sempre acontecia quando Atanasia, aproveitando algum descuido dele, se insinuava de repente em sua cabeça.

Chegou à igreja das Nazarenas, e Serafín, sabendo que era proibida a entrada de gatos na igreja — as beatas o fizeram passar poucas e boas lá —, imediatamente subiu na arvorezinha da entrada, para esperá-lo. A missa ainda não tinha começado e Juan se sentou na primeira fila — ainda havia pouca gente — e, entristecido com a lembrança de Atanasia, adormeceu. Foi acordado por um sino. Estavam lendo o evangelho do dia e ele se perguntou se presenciar o ofício assim tardiamente ajudaria diante de Deus ou teria um efeito nulo no balanço das boas e das más ações que decidiria seu futuro no além. Era muito católico desde criança, mas sua religiosidade se acentuou bastante com a velhice e a desmemória. Sempre tinha ido à missa aos domingos; agora também frequentava procissões, rosários, rogatórias e os sagrados sermões das sextas-feiras na paróquia da Boa Morte.

Quando saiu da igreja, Serafín apareceu já se enroscando em seus pés. Juan passou todo o percurso de volta ao Hotel Mogollón

— uns quarenta e cinco minutos em seu passo prudente e lentíssimo — pensando no episódio de *Os Três Piadistas*, acontecimento fronteiriço em sua carreira artística. Ele já conhecia o programa, como todo mundo em Lima. Costumava vê-lo com Atanasia aos sábados à noite, na pequena casa de Mendocita, onde moravam desde que se casaram. Com o que ele ganhava em suas apresentações e ela como telefonista, conseguiram alugar essa casa que Atanasia ajeitou e mobiliou com o bom gosto que tinha. Juan não podia se queixar dos contratos; sempre apareciam recitais nos auditórios, nos clubes departamentais, em alguns saraus folclóricos e, às vezes, até em uma boate. Além disso, tinha um programinha semanal, *Hora de poesia*, na Rádio Libertad. Gostava do seu trabalho e, desde o casamento com Atanasia, sentia-se feliz. De noite, quando rezava, agradecia a Deus por ter sido tão generoso com ele.

Foi uma grande surpresa quando o diretor da Rádio Libertad lhe disse que tinham ligado da América Televisión perguntando por ele. Deixaram um recado pedindo que telefonasse com urgência para o produtor, ninguém menos que don Celonio Ferrero, mago e senhor da telinha. Quando ligou, este o convidou para tomar alguma coisa num bar próximo à emissora. O sr. Celonio Ferrero era alto, bem vestido, com colete e gravata, anéis, unhas feitas, um relógio que soltava faíscas, e tão seguro de si mesmo que Juan Peineta sentiu-se coibido e apoucado ao lado daquele semideus.

— Eu não tenho muito tempo, amigo Juan Peineta, por isso vou direto ao ponto — disse ele, depois de sentar-se e pedir dois cafés. — É que Tiburcio, um dos Três Piadistas, está morrendo. De câncer no fígado. Deu azar, o pobre homem. Ou foi muita bebida, talvez. Tão jovem. Só vai poder trabalhar até o fim do mês. Um problemão, porque me deixa um buraco no programa mais popular da televisão peruana. Não gostaria de substituí-lo?

A surpresa fez Juan Peineta abrir a boca de par em par. Estava propondo que ele, um artista do verso, substituísse um palhaço ordinário e grosso até dizer chega?

— Feche a boca senão entra mosca — riu o sr. Celonio Ferrero, dando-lhe um tapinha nas costas. — Sim, eu sei, minha oferta é como um prêmio da loteria para qualquer um. Mas meti na cabeça que você é a pessoa ideal para substituir o cholo Tiburcio. E minhas intuições nunca falharam. Ouvi você recitando há um tempinho no Clube Arequipa e caí na gargalhada. Na mesma hora pensei: "Este cara poderia ser um dos meus Três Piadistas".

Juan Peineta ficou tão ofendido que teve vontade de se levantar e dizer àquele senhor prepotente que ele era um artista, que a proposta dele feria a sua honra profissional e que, portanto, aquela conversa tinha acabado. Mas don Celonio Ferrero se adiantou e ganhou a parada:

— Sinto muito, amigo, mas não tenho muito tempo — repetiu, consultando seu relógio aerodinâmico. — Ofereço dez mil soles por mês para começar. Se der certo, podemos falar de um aumento; se não der, nosso acordo se encerra na quarta semana. Tem dois dias para pensar. Foi um prazer conhecê-lo e apertar sua mão, sr. Juan Peineta.

Pagou a conta, e Juan viu-o sair apressado na direção do canal. Dez mil soles por mês? Será que tinha ouvido bem? Sim, foi o que ele havia dito. Juan nunca tinha visto tanto dinheiro. Dez mil por mês? Voltou para casa ainda atônito, sabendo, no fundo, que seria impossível recusar um trabalho que podia lhe render uma fortuna daquelas.

"Foi aí que você estragou sua carreira de artista", pensou outra vez, como vinha fazendo havia muitos anos. "Você se vendeu por cobiça, trocou a poesia pela palhaçada, deu uma punhalada na arte por pura ganância. Foi aí que começou a sua decadência."

Chegaram ao Hotel Mogollón a tempo de sentar-se na pequena saleta da entrada ao lado de Sóceles, o zelador do hotel, e ouvir na Rádio Popular as maldades e venenos de Rolando Garro em seu programa *Notícias em brasa: verdades e mentiras do mundo do espetáculo.*

Antes de dormir Juan Peineta escreveu, com sua letra torta e tremida, uma carta à Rádio Popular protestando em seu nome e no de muitos ouvintes contra a "pestilenta vulgaridade que vomita em seu programa um senhor chamado Rolando Garro, que mais adequadamente deveria ser chamado de Fofoqueiro Caluniador. Que falta de vergonha, que desmoralização para a emissora!". Assinou seu nome e meteu a carta num envelope. Amanhã a enviaria.

VII. A agonia de Quique

— Está acontecendo alguma coisa com você, amor, e é coisa muito séria — disse Marisa. — Sinto muito, mas você tem que me contar.
— Não é nada, gringuinha — tentou tranquilizá-la, esboçando um sorriso. — Estou preocupado com o pesadelo que estamos vivendo neste país, como todo o mundo, só isso.
— Faz tempo que existe terrorismo no Peru — insistiu ela. — Posso ser boba, mas não tanto como você imagina, Quique. Você não come mais, não dorme, está se acabando. Ontem mesmo sua mãe me disse: "Enrique está muito magro, ele não foi ao médico?". O que está acontecendo? Eu sou sua mulher, não sou? Posso ajudar. Seja lá o que for, você tem que me contar.

Estavam tomando café na varanda da cobertura, em San Isidro, ela de roupão e chinelos e Enrique já de banho tomado, barbeado e vestido, pronto para ir ao escritório. Havia muita neblina e não se divisava o mar ao longe, nem sequer os jardins do Clube de Golfe aos pés do edifício. O suco de laranja, o ovo quente, as torradas com manteiga e geleia que Quintanilla, o mordomo, tinha servido para Quique estavam intactos; só havia tomado a xícara de café. Viu o rosto de Marisa deformado de preocupação; viu que seus olhos azuis brilhavam e sentiu pena de sua mulher. Aproximou-se e beijou-a no rosto. Marisa pôs os braços em volta do seu pescoço.

— Fale comigo, Quique — pediu. — Seja o que for, pode me contar, coração. Deixe eu compartilhar o problema, ajudar. Eu amo você.

— Eu também, Marisa, meu amor. — E a abraçou. — Não queria que ficasse preocupada. Mas, tudo bem, já que insiste tanto, vou contar.

Marisa se afastou um pouco e Enrique viu que sua mulher

estava pálida; seus lábios tremiam. Ajeitou maquinalmente o cabelo louro, enquanto o observava de olhos muito abertos, esperando. Em sua confusão, ele chegou a pensar: "Está bonita como sempre, mais do que sempre. Deve ser a primeira vez que passamos dez dias sem fazer amor desde que nos casamos".

— Ainda não aconteceu nada, mas pode acontecer — enquanto ia falando, muito devagar, tentava laboriosamente inventar alguma coisa. — É que recebi umas ameaças, gringuinha. Anônimas, claro.

— Dos terroristas? — balbuciou ela. — Do Sendero Luminoso? Do MRTA?

— Ainda não sei de quem. Talvez dos terroristas, pode ser. Ou de bandidos comuns. Querem dinheiro, obviamente. Mas não se assuste. Consultei o Luciano, estamos nos mexendo para ver do que se trata. Pelo amor de Deus, não diga uma palavra a ninguém, querida. As coisas podem ficar muito piores se a história se espalhar.

— Quanto dinheiro pediram? — perguntou ela.

— Não me disseram o valor, ainda não. — disse ele. — Por enquanto, só ameaças. Juro que a partir de agora você vai ficar sempre a par de tudo. Além do mais, pode até ser uma brincadeira de mau gosto, algum canalha querendo perturbar a nossa vida.

— Você já foi à polícia? — Marisa estava segurando sua mão e a apertou. — Fez a queixa? Eles têm que nos dar proteção, principalmente a você. Não é possível que se exponha desse jeito, Quique. Meu Deus, eu sabia que mais cedo ou mais tarde íamos passar pelo mesmo que Cachito.

— Agora é você que está assustada — disse ele, fazendo-lhe um carinho no rosto. — Viu por que não queria lhe dizer nada por enquanto, gringuinha?

Olhou o relógio: oito e quinze da manhã. Levantou-se.

— Tenho uma reunião com Luciano, para falar justamente disso — explicou, beijando-a no cabelo. — Por favor, não se preocupe, Marisa. Não vai acontecer nada, juro. Eu mantenho você informada de tudo, prometo.

Desceu para a garagem, o chofer estava esperando, entrou no carro e quando chegaram à rua se deparou com um desses dias cinzentos, cor de burro-quando-foge, do inverno limenho; a umidade embaçava os vidros do Mercedes-Benz, molhava a roupa, e Enrique tinha a impressão de que entrava por todos os poros do seu corpo. Em Zanjón, o tráfego já estava intenso. Será que tinha feito bem contando aquelas mentiras a Marisa? Bom, talvez não fosse tudo mentira. Talvez esse jornalista palerma estivesse mesmo de conchavo com o Sendero Luminoso ou com o MRTA. Tudo era possível. Agustín, o motorista, dirigia com a prudência de sempre, enquanto ele, com a mente perdida, continuava hipnoticamente concentrado no seu problema. Estava assim desde a visita de Rolando Garro ao seu escritório. O pior era a incerteza. Continuar na espera. O que estava esperando? Queria que aquele filho da puta se manifestasse de uma vez: quanto pediam? Ele ou os seus cúmplices. Porque aquilo não podia ser coisa só desse pobre-diabo. Quem estaria por trás dele, cacete? Aquele iugoslavo? Seria possível? Foi ele quem armou a cilada de Chosica. Mas por que só abria o jogo dois anos depois? Sem saber o que queriam, sem saber o que esperar, estava com os nervos à flor da pele desde aquela maldita visita. Dez dias, já. Dez dias sem tocar em Marisa. Nunca tinha acontecido, desde que se casaram. "Como eu pude ser tão imbecil, tendo uma mulher tão bonita, tão sensível?", pensou, pela centésima vez. "Marisa nunca me perdoaria." Toda vez que pensava naquela bacanal sentia as mesmas ânsias de vômito de então, no meio daquelas putas gordas e mais pintadas que papagaios. "Só sendo muito estúpido, Quique, um estúpido ao quadrado, para fazer o que você fez."

Agustín dirigia com segurança, e agora Quique dava espiadas nervosas em torno com medo de que acontecesse alguma coisa, pensando que, de fato, por que não, podiam sequestrá-lo como fizeram com Cachito. Esse sequestro havia assustado toda a sociedade limenha. Seria verdade que pediam um resgate de seis milhões de dólares? Pelo visto, o homem da seguradora que veio de Nova York para negociar com os sequestradores era duríssimo e não cedia às exigências. O resultado podia ser que Cachito terminasse como cadáver. Podia ter acontecido com qualquer empresário, inclusive com ele. Desde que o terrorismo começou essa ideia lhe passava pela cabeça de vez em quando e, desde a visita de Garro com aquelas fotos, muito mais.

Luciano estava à sua espera e no gabinete dele já havia duas xícaras de café recém-servidas.

— Calma, Quique — cumprimentou o amigo. — Você parece arrasado, rapaz. A pior atitude é entregar os pontos assim, antes da batalha.

— Estou com os nervos em frangalhos, Luciano — concordou ele, desabando numa poltrona. — Não é por mim, nem por Marisa, nem pelo que venha a me custar. É que se essas fotos forem publicadas, minha mãe morre. Você sabe como minha velhinha é conservadora e católica. Garanto que se ela vir essas fotos tem uma parada cardíaca, ou enlouquece, sei lá. Bem, mas vamos ao assunto. O que disseram seus dois criminalistas?

— Antes de mais nada, calma, Quique. Vamos fazer o possível e o impossível para impedir que as fotos sejam publicadas — disse o advogado. — Os dois concordam que é preferível esperar o tiro. O que eles querem? Quanto pedem? Você vai ter que negociar, em último caso. O mais importante é a garantia de recuperar os negativos. E, enquanto isso, naturalmente, negar categoricamente que seja você o homem das fotos.

— Eles conhecem esse Garro? O que sabem dele?

— Conhecem muito bem — assentiu Luciano. — Um jornalista marrom, especializado no mundo do espetáculo. Um puxa-saco, parece, a princípio de baixo escalão, pelo que se viu, mas que fez carreira. Ganha uns troquinhos fazendo chantagem ou oferecendo propaganda a artistas, roteiristas, locutores, apresentadoras de programas. Vive de escândalos. Respondeu a vários processos por difamação e calúnia, mas as associações de jornalistas o protegem e, em nome da liberdade de imprensa, quase sempre os juízes mandam arquivar os processos ou o absolvem. Correm muitas lendas sobre ele, inclusive de que seria um dos jornalistas a soldo do Doutor para enxovalhar os críticos do governo, destruindo sua reputação, inventando escândalos. Os dois criminalistas lá do escritório não acreditam que Garro seja o cabeça dessa operação. É só um cúmplice menor, um mensageiro, um instrumento dos verdadeiros chefes. Acharam estranho ele ter ido pessoalmente chantagear um empresário conhecido como você. Já pedimos uma audiência ao Doutor.

Vamos levar os presidentes da Confederação de Empresários e da Sociedade de Mineração para impressioná-lo. Para que ele saiba que não é só você, todo o setor empresarial se sente ameaçado com essa chantagem. Concorda, Quique?

— Concordo, claro — assentiu ele. — Detesto a ideia de que tanta gente tome conhecimento, mas, de fato, é melhor ir direto lá em cima. O Doutor pode acabar com isso, assustando Garro e obrigando-o a delatar seus cúmplices.

— Segundo os criminalistas, trata-se de uma operação de alto nível. Talvez uma máfia internacional.

Sorriu afetuosamente, mas Enrique não lhe devolveu o sorriso. Aquela bobagem era a única coisa que os criminalistas do seu escritório podiam dizer? Que havia alguém por trás de Garro, isso ele já sabia desde o primeiro momento.

— Qual é a pior coisa que pode me acontecer, Luciano?

Luciano ficou muito sério antes de responder.

— O pior dos mundos, meu irmão, seria descobrir que quem está por trás dessa operação é a pessoa que você está imaginando.

— Não estou imaginando ninguém, Luciano. Fale claramente, por favor.

— O sinistro Doutor, ele mesmo — disse Luciano, abaixando a voz. — Ele é bem capaz de tramar uma coisa assim, tão escusa. Principalmente se achar que há muito dinheiro em jogo.

— O próprio assessor de Fujimori? — surpreendeu-se Quique.

— O homem forte deste governo, aquele que manda e desmanda, o verdadeiro chefão do Peru — lembrou Luciano. — Os nossos advogados têm absoluta certeza de que o sujeito faz coisas desse tipo. É ganancioso, tem uma sede desmesurada de dinheiro. Há indícios de que muitas chantagens a empresários menores parecem ser obra dele. Mas acham estranho que também faça uma coisa dessas contra alguém importante como você. Por isso é bom que os dirigentes da Confiep e da Sociedade de Mineração venham conosco. A presença deles pode assustá-lo um pouco, se estiver envolvido. Por outro lado, como já lhe disse, correm boatos de que um dos escribas que o Doutor utiliza para destruir a reputação dos seus inimigos políticos é o tal Garro. Você sabe que ele financia boa parte dessas publicações imundas, cheias de palavrão e mulher nua, que ficam jogando merda nos críticos do governo. Está me ouvindo, Quique?

Porque Enrique começou a pensar que, se era o chefe do Serviço de Inteligência do regime quem estava por trás dessas fotos, não havia escapatória. Estava perdido. Como podia enfrentar um homem tão poderoso, o maquiavélico assessor do presidente? Lembrou a única vez que o tinha visto, num jantar de empresários em que o famoso Doutor apareceu de repente, sem ser convidado. Muito gentil, um pouco pegajoso e servil com todos eles, usando um terno azul muito justo e com uma barriguinha que pugnava para ser notada, veio dizer-lhes que a empresa privada estaria segura no país enquanto o engenheiro Fujimori continuasse no governo. E que o regime precisava de pelo menos uns vinte anos para completar o programa de reformas que estava tirando o Peru do subdesenvolvimento e levando o país à condição de país do Primeiro Mundo. Sobre o terrorismo, discorreu justificando a política de "mão pesada" com um exemplo que deixou alguns dos presentes de cabelo em pé: "Não importa que morram vinte mil pessoas, das quais quinze mil sejam inocentes, se matarmos cinco mil terroristas". Quando ele foi embora, os empresários fizeram piadas sobre a pose daquele personagenzinho, um bajulador cafoninha e meio mafioso que usava sapatos amarelos com um terno azul.

— Se for ele o cabeça de tudo isso, eu estou simplesmente fodido, Luciano — murmurou.

— Ninguém disse que é ele, fique calmo — tranquilizou-o o amigo. — É uma simples conjetura, entre muitas outras. Não se assuste antes da hora. E não creia que o Doutor tem tanto poder como ele imagina.

— O que devo fazer, então?

— Essa espera de dois anos depois que tiraram as fotos significa alguma coisa — disse Luciano. — Tente lembrar todos os detalhes possíveis da sua relação com o iugoslavo que organizou as coisas em Chosica. Encontre todas as cartas e bilhetes dele que houver no seu arquivo. De um jeito ou de outro, esse homem é a origem de tudo. Faça isso por enquanto. E vamos esperar. Os criminalistas recomendam não tomarmos nenhuma iniciativa neste momento, até eles tirarem as máscaras. Acima de tudo, não dar queixa à polícia. Vamos ver o que sai da conversa com o Doutor. E, por favor, não fique dando tantos sinais de nervosismo. Garro trouxe essas fotos para assustar. Para amolecer você. Muito em breve vai abrir o jogo. Quando isso acontecer e soubermos qual é a chantagem, vamos poder entender melhor a situação. Em função disso decidimos um plano de ação.

Conversaram mais um pouco e Luciano lhe sugeriu que fizesse uma viagenzinha com Marisa, por uns dias. Quique descartou qualquer possibilidade. Tinha milhares de coisas para resolver, um trabalho fora do normal com a situação difícil por que passava o país. Em vez de acalmá-lo, sair de Lima o deixaria ainda mais agitado. Combinaram que esta semana sem falta os dois casais almoçariam juntos — domingo, por exemplo, no La Granja Azul? —, e Luciano o acompanhou até a porta.

Quando Quique chegou ao escritório, já estavam à sua espera o chefe de segurança da mina de Huancavelica e uma pilha de mensagens, cartas e e-mails. O sr. Urriola — rugas que pareciam sulcos, um grande bigode, manzorras de lutador e um sorriso estereotipado que não saía do rosto — não lhe deu boas notícias. Tinham ocorrido novos roubos de explosivos no último mês, graças à cumplicidade dos ladrões com funcionários e mineiros e, talvez, com a ajuda dos próprios guardas mandados pela polícia. Sem tiroteios nem vítimas, felizmente. Os vigias não viram nada, claro.

— Posso parecer um disco arranhado — concluiu seu relatório o sr. Urriola —, mas o senhor tem que conseguir que a Guarda Civil retire seus homens das minas. Garanto que meu pessoal acaba com esses roubos de uma vez por todas. Os guardas civis ganham uma miséria e agora, com o terrorismo, têm o álibi perfeito para nos saquear e jogar a culpa no Sendero e no MRTA.

Depois de Urriola, recebeu mais três pessoas e um longo telefonema de Nova York. Quique tinha dificuldade para se concentrar, ouvir, responder. Não conseguia tirar da cabeça aquelas imagens sinistras que o acossavam desde a visita de Garro. Nem sequer se lembrava com muita precisão da maldita festa em Chosica. Será que o iugoslavo lhe dera alguma droga? Recordava o mal-estar, a sensação de aturdimento, as náuseas e os vômitos. Por fim, em torno de meio-dia, quando saiu o último visitante, disse à secretária que não lhe passasse mais telefonemas porque tinha umas coisas urgentes a fazer e precisava se isolar completamente.

    Na verdade queria ficar sozinho, parar por alguns momentos de fazer aquele esforço exaustivo de desdobramento, tentando cuidar dos assuntos do escritório quando só tinha cabeça para o seu problema pessoal. Ficou quase uma hora sentado numa das poltronas em que recebia as visitas, olhando sem ver a vasta esplanada de Lima aos seus pés. O que podia fazer? Até quando continuaria a incerteza? Em determinado momento sentiu que o sono o dominava e, apesar de tentar resistir, acabou adormecendo. "É a angústia", pensou, deixando-se ir. Talvez fosse bom que fizesse o que nunca quis fazer: aprender a jogar golfe, esse esporte de japoneses e de desocupados. Talvez fosse um relaxante para os nervos. Acordou sobressaltado: à uma e quinze tinha um almoço marcado no Clube dos Bancos. Lavou o rosto, penteou o cabelo e chamou a secretária.

    Esta lhe passou uma longa lista de recados, que ele mal escutou.

    — E também ligou aquele jornalista que o senhor atendeu outro dia — acrescentou. — Garro, não é? Sim, Rolando Garro. Insistiu muito, que era urgentíssimo. Deixou um telefone. O que eu faço? Posso marcar ou vou adiando?

VIII. A Baixinha

Assim que sentiu que o indivíduo que estava atrás dela no ônibus de Surquillo para Cinco Esquinas se encostava com más intenções, a Baixinha pegou a agulha grande que levava presa no cinto. Deixou-a na mão, esperando até passarem pelo próximo buraco, pois era nos buracos que o espertinho aproveitava para aproximar a braguilha do seu traseiro. Quando fez de novo, ela se virou para olhá-lo com seus enormes olhos fixos — era um homenzinho insignificante, já velho, que de imediato desviou os olhos — e, com a agulha na sua cara, avisou:

— Na próxima vez que chegar perto de mim, enfio isto nessa piroquinha imunda que você deve ter aí. Juro que está envenenada.

Ouviram-se umas risadas no ônibus e o homenzinho, confuso, disfarçou, fingindo surpresa:

— Está falando comigo, moça? O que foi?

— Está avisado, seu merda — concluiu ela, secamente, virando-lhe as costas.

O sujeito teve que engolir aquilo e, na certa, constrangido e envergonhado com o olhar de deboche dos outros passageiros, desceu no ponto seguinte. A Baixinha lembrou que essas advertências nem sempre funcionavam, embora ela, em duas ocasiões, tenha cumprido suas ameaças. A primeira, num ônibus dessa mesma linha, na altura do quartel Barbones; o rapaz, que levou uma agulhada no meio da braguilha, deu um berro que assustou a todos os passageiros e fez o chofer frear de repente.

— Assim você aprende a se esfregar na sua mãe, bichona! — gritou a Baixinha e, aproveitando que o ônibus tinha parado, pulou para a rua e saiu correndo em direção ao largo Junín.

A segunda vez que enfiou a agulha na braguilha de um sujeito que estava se roçando nela foi mais complicada. Era um mulato grandalhão, cheio de espinhas na cara, que a sacudiu, frenético, e iria agredi-la se os outros passageiros não interviessem. Mas o caso acabou na delegacia; só a soltaram quando descobriram que tinha carteira de jornalista. Ela sabia que, de modo geral, a polícia tinha mais medo dos jornalistas que dos malfeitores e assaltantes.

Enquanto o ônibus não chegava a Cinco Esquinas, voltou a pensar no que estava pensando antes de perceber aquele sujeito grudado nas suas costas: será que os *emolienteros* tinham desaparecido? Sempre que via na rua um homem empurrando um carrinho ia espiar e geralmente era um sorveteiro ou vendedor de refrigerantes e chocolates. Raramente, muito raramente, um *emolientero*. Ou seja, deviam estar acabando, outro sinal dos supostos progressos de Lima. Em breve não sobraria nenhum, e os limenhos do futuro nem saberiam mais o que é um *emoliente*.

Sua infância era inseparável dessa bebida tradicional, feita com cevada, linhaça, boldo e cavalinha, que viu seu pai e um ajudante, um cara manquinho e meio caolho de apelido Coxinova, preparando ao longo dos anos. Naquela época havia carrinhos de *emolienteros* espalhados pelo centro da cidade, principalmente na entrada das fábricas, nos arredores da plaza Dos de Mayo e ao longo do largo Argentina. "Meus melhores clientes são os farristas e os operários", costumava dizer seu genitor. Ela tinha acompanhado mil vezes, quando era menina e adolescente, seus percursos empurrando o carrinho com os grandes potes de *emoliente* que ele mesmo e Coxinova preparavam na pequena quinta onde moravam na época, em Breña, no final do largo Arica, onde terminava a parte antiga da cidade e começavam os descampados que se estendiam até La Perla, Bellavista e Callao. De fato, a Baixinha lembrava perfeitamente que os clientes mais fiéis do seu pai eram os boêmios que tinham passado horas e horas bebendo nos barzinhos do centro e os trabalhadores que ao alvorecer entravam nas fábricas das avenidas Argentina e Colonial e dos arredores da Ponte do Exército. Ela ajudava entregando aos clientes as xicrinhas de vidro junto com um papelucho recortado que fazia as vezes de guardanapo. Quando seu pai a deixava na escola do bairro e a vida da cidade começava, com o aparecimento dos garis e dos guardas de trânsito, o *emolientero* já estava trabalhando havia pelo menos quatro horas. Ofício duro; um trabalho cansativo e perigoso. Ele já tinha sido assaltado várias vezes e despojado de toda a féria do dia, e o pior da história era correr tantos riscos para ganhar uma miséria. Então não era de se estranhar, pensando bem, que os *emolienteros* estivessem desaparecendo das ruas de Lima.

Nunca perguntou ao pai pela sua mãe. Ela o tinha abandonado? Morreu ou ainda estava viva? Seu pai jamais lhe disse uma palavra sobre ela, e Julieta respeitou seu silêncio, sem perguntar pela mãe uma única vez. Era um homem parco, podia passar dias inteiros sem dizer uma palavra, mas, embora não fosse muito efusivo com ela, Julieta se lembrava dele com carinho. Tinha sido bom com sua única filha; pelo menos se preocupou que terminasse o colégio, para que no futuro, dizia, não tivesse uma vida sofrida como ele teve por ser analfabeto. Ficava furioso por não saber ler nem escrever. O dia mais feliz da sua vida foi a tarde em que sua única filha lhe mostrou a carteira de jornalista que Rolando Garro conseguiu para ela depois de contratá-la como repórter da revista.

Já estavam em Cinco Esquinas e a Baixinha desceu do ônibus. Andou os sete quarteirões que separavam o ponto da sua casa, no largo Tenente Arancibia, passando por todos os lugares que conhecia de memória e respondendo com movimentos de cabeça ou com a mão aos cumprimentos dos conhecidos: o espírita piurano que só atendia seus clientes à noite, horário propício para dialogar com as almas; o farmacêutico que morava na casinha onde, diziam, nasceu Felipe Pinglo, o grande compositor de valsas; a Quinta Heeren que, parece, havia sido um reduto com as mansões mais elegantes de Lima no século XIX e agora era uma coleção de ruínas disputadas por urubus, morcegos, drogados e delinquentes; a casa da Limbômana, a aborteira; a igreja del Carmen e o pequeno convento das Irmãs Franciscanas da Imaculada Conceição. Ainda era cedo, mas como os roubos e os assaltos haviam aumentado muito no bairro, todas as lojas já tinham colocado grades e atendiam apenas através de um buraco que só deixava passar pequenos pacotes. Casinhas inacabadas e becos ruinosos com um único cano de água, vagabundos e mendigos nas esquinas que, de noite, ficavam cheias de traficantes e prostitutas de rua com seus cafetões espreitando na escuridão. Sua casa ficava nos fundos de um terreno malcuidado, cujas construções, todas de um andar só, eram pequenas e pareciam encaixadas umas nas outras, menos a dela que, por ser a última, era um pouco separada do resto. A casa tinha um quarto, uma salinha de jantar, uma cozinha pequena e um banheiro; estava mobiliada com o indispensável, mas, isso sim, com pilhas e pilhas de jornais e revistas em todos os aposentos. A Baixinha colecionava desde menina. Já no primário era uma leitora compulsiva de jornais e revistas e começara a guardá-los muito antes de saber que um dia ia ser jornalista e poderia tirar proveito dessa enorme coleção. Embora não fosse muito organizada em suas coisas pessoais, sua montanha de jornais e revistas estava rigorosamente classificada. Uns papeizinhos escritos com sua letra minúscula marcavam os anos e os assuntos que tinha destacado. Dedicava seu tempo livre a organizá-los, tal como outros se dedicam aos esportes, ao xadrez, a tricotar e bordar ou a ver televisão. Ela tinha um aparelho pequeno e velho, que só ligava — quando não estava sem luz — para ver os programas de fofocas e escândalos, ou seja, os temas relacionados com seu ofício.

Chegou em casa e, na minúscula cozinha, preparou uma sopa instantânea e requentou o prato de arroz com dobradinha que tinha deixado no forno. Ela era de comer pouco e não bebia nem fumava. Alimentava-se sobretudo do seu trabalho, que também era a sua vocação: descobrir as vergonhas secretas dos outros. Divulgá-las lhe dava uma satisfação profissional e íntima. Adorava aquilo e intuía, de forma um tanto confusa, que fazendo o que fazia estava se vingando de um mundo que sempre tinha sido muito hostil com ela e com seu pai. Apesar de ser tão jovem, suas conquistas já eram de fazer inveja.

Seu mestre havia sido Rolando Garro e por isso lhe devotava uma lealdade a toda prova. Estaria apaixonada por ele? Na redação da *Revelações* às vezes pilheriavam a respeito, e ela negava com tanta ênfase que todos os colegas de trabalho tinham certeza que sim.

Até onde se lembrava, a ideia de ser jornalista um dia sempre a havia perseguido; mas sua ideia de jornalismo pouco ou nada tinha a ver com o jornalismo chamado sério, de informações objetivas e análises políticas, culturais ou sociais. Sua ideia de jornalismo vinha fundamentalmente dos pequenos pasquins e revistas de escândalos que eram expostos nas bancas do centro e que as pessoas paravam para ler — ou melhor, olhar, porque não havia quase nada para ler além das grandes e espalhafatosas manchetes — e admirar as mulheres seminuas que exibiam seus peitos e nádegas com uma fantástica vulgaridade e os boxes em letras vermelhas berrantes denunciando as sujeiras, os segredos mais pestilentos e as reais ou supostas canalhices, roubos, perversões e tráficos que destruíam a credibilidade das pessoas aparentemente mais dignas e prestigiosas do país.

 A Baixinha — ela recebera esse apelido no colégio, onde as garotas da sua turma às vezes também a chamavam de Tachinha — se lembrava com orgulho do sucesso que fez em seus primeiros passos no jornalismo, quando ainda cursava o secundário no colégio María Parado de Bellido. O diretor sugeriu que as alunas fizessem um jornal mural. Julieta, sem imaginar o efeito disso, começou a mandar artigos manuscritos com sua letra regular e diminuta. Em pouco tempo era a principal colunista do jornal mural. Porque, ao contrário das outras colaboradoras, que falavam da pátria, dos heróis nacionais como Grau e Bolognesi, de religião, do Papa ou do problema da terra no Peru, ela se limitava a contar as fofocas e boatos mais escabrosos que corriam sobre as alunas e professores, disfarçando seus nomes quando se tratava de coisas realmente pesadas, como questionar a virilidade de um homem ou a feminilidade de uma mulher. Junto com o sucesso lhe veio uma punição. Foi chamada à direção, advertida — já havia sido antes, por falar palavrão — e ameaçada de expulsão se continuasse naquele caminho.

 Continuou, mas já fora do colégio. Com uma audácia tão grande quanto e inversamente proporcional ao seu tamanho, começou a inquirir, fazendo-se passar por repórter do *Última Hora*, *La Crónica*, *Caretas*, *Expreso* e até *El Comércio*, nos teatros, rádios, boates, estações de televisão, gravadoras ou nas casas particulares de figuras do espetáculo, conseguindo assim, com sua vozinha de menina ingênua e seus olhaços imóveis, muita informação, naturalmente marcada pela suspicácia hipócrita e a intuição infalível para o mórbido, o pecaminoso e o escuso que lhe eram congênitas. Assim chegou à *Revelações*, assim conheceu Rolando Garro e assim se transformou na principal repórter do semanário e discípula dileta do jornalista mais famoso do país em matéria de inconfidência e escândalo.

"Como vai acabar essa bendita história das fotos?", perguntou a si mesma, antes de dormir. "Bem ou mal?" Desde o início, quer dizer, desde que Ceferino lhe confessou que as tinha, ela desconfiou que o caso podia trazer mais prejuízos que benefícios para eles, principalmente quando Rolando Garro foi mostrá-las a Enrique Cárdenas, aquele minerador das altas rodas. Mas o que seu chefe dizia e fazia ela acatava sem questionar.

ix. Um negócio singular

Quando Enrique viu Rolando Garro entrar no seu escritório sentiu o mesmo desagrado que da primeira vez. Estava usando a mesma roupa que duas semanas antes e caminhava balançando os braços e pisando firme com seus sapatões de plataformas altas para fazê-lo crescer. Avançou até sua escrivaninha — ele não tinha se levantado para recebê-lo — e lhe estendeu a mãozinha flácida e úmida que Enrique recordava com nojo. Eram dez da manhã: tinha chegado pontualissimamente.

— Como imagino que esta conversa vai ser gravada, proponho não falarmos daquele assunto que o senhor já sabe — disse Garro, logo de entrada, com a mesma vozinha esganiçada e arrogante da outra vez. — E sim do que me trouxe até aqui. E, como sei que o senhor é um homem muito ocupado e não quero roubar seu precioso tempo, vou falar sem preâmbulos. Vim lhe propor um negócio.

— Um negócio? — surpreendeu-se o engenheiro. — Nós dois?

— Sim, nós dois — repetiu o jornalista, rindo, desafiante. — Eu, o pigmeu inexistente, e o senhor, o deus do Olimpo empresarial peruano.

Riu de novo com a risadinha anômala que encolhia seus olhos debochados e acrescentou, com muita convicção, após uma pausa estratégica:

— A *Revelações* é um pequeno semanário de circulação limitada apenas por falta de recursos, sr. Cárdenas. Mas isso pode mudar de forma radical. Se um empresário com o seu prestígio e sua força decidisse investir nela, a revista chegaria a todo o Peru. Seria imbatível, até as pedras a leriam. Eu me encarrego disso, engenheiro.

Era por aí a chantagem, então? Pedir que ele investisse no seu imundo pasquim de imprensa marrom? Olhava para aquele sujeito vestido de maneira tão extravagante e escandalosa e pensava no contraste entre ele e seu escritório moderno e elegante, equipado com móveis escandinavos funcionais e discretos, as gravuras nas paredes com os desenhos técnicos e as bombas, polias e tubulações que a decoradora Leonorcita Artigas havia mesclado com belas paisagens do deserto, ondas espumosas da costa e as imponentes montanhas nevadas dos Andes.

— Explique melhor o que está falando, sr. Garro — disse ele, disfarçando seu desagrado. Mas, apesar dos esforços que fez, teve certeza de que em sua voz transparecia a repugnância que sentia pelo pobre-diabo à sua frente.

— Cem mil dólares, para começar — disse o jornalista, encolhendo os ombros, como se fosse uma soma ridícula. — Uma ninharia para o senhor. Depois, quando constatar que esse investimento deu certo, que está fazendo um excelente negócio, deveríamos aumentar o capital. Por ora, isso vai me permitir dobrar a tiragem e duplicar a redação. Melhorar o papel e a impressão. Eu nem veria a cor do dinheiro. O senhor indica o gerente, administrador, espião ou como quiser chamar. Alguém da sua absoluta confiança. A questão é muito simples. Mais do que seu dinheiro, o que me interessa é o seu nome, o seu prestígio. Se o senhor se associar comigo, a birra que os publicitários e suas agências têm contra mim desaparece na hora. A revista se torna respeitável e, assim, consegue muitos anúncios. Garanto que vai fazer um excelente investimento, engenheiro.

Os olhinhos dele brilhavam enquanto falava, e Enrique notou que seus dentes estavam manchados de nicotina. E também que mastigava alguma coisa, talvez chiclete. Ou seria um tique?

— Antes de continuar, quero lhe advertir uma coisa, sr. Garro — disse ele, endurecendo a voz e fincando a vista nos olhinhos movediços do visitante. — Não sei por que veio me trazer aquele presente na sua visita anterior. A pessoa que aparece nas fotos não sou eu.

— Melhor assim, engenheiro — aplaudiu teatralmente o jornalista, encantado com a notícia. — Fico muito contente. Já imaginava, aliás. Mas eu lhe disse que não queria falar disso agora. Não só porque certamente o senhor está gravando esta conversa, mas também porque não existe qualquer relação entre esta e a minha visita anterior. Vim apenas lhe propor um negócio, mais nada. Não fique procurando pelo em ovo quando sabe que não tem.

— Meu ramo não é o jornalismo e não gosto de investir em coisas que não conheço — disse Enrique. — Em todo caso, se o senhor tem um projeto, com estudos de mercado e de viabilidade, pode deixar aqui que o departamento técnico da empresa vai estudar com a devida seriedade. Era só isto, sr. Garro?

— Claro que trouxe o projeto por escrito — disse Garro, apalpando a maleta de couro desbotado que tinha nos joelhos. — Mas queria lhe explicar um pouco melhor, pessoalmente, o que poderíamos fazer com a ampliação da *Revelações*. Não vai levar mais que dez minutos, prometo.

Enrique, resistindo à vontade que sentia de expulsar aquele sujeitinho do seu escritório de uma vez para sempre e nunca mais vê-lo, assentiu, sem dizer uma palavra. Tinha aceitado recebê-lo outra vez por instrução dos dois criminalistas do escritório de Luciano, contrariando o seu próprio critério. Uma cólera surda ia se apoderando dele.

— A morbidez é o vício mais universal que existe — pontificou o homenzinho, com sua voz gritada e soberba, sem tirar os olhos de Enrique, movendo as mandíbulas com suavidade. — Em todos os povos e em todas as culturas. Mas principalmente no Peru. Suponho que o senhor saiba perfeitamente: somos um país de fofoqueiros. Queremos conhecer os segredos dos outros, de preferência os segredos de cama. Em outras palavras, e desculpe a grosseria: quem trepa com quem e de que maneira. Meter o nariz na intimidade de pessoas conhecidas. Dos poderosos, dos famosos, dos importantes. Políticos, empresários, esportistas, cantores etc. E, se existe alguém que sabe fazer isso, e o digo com toda a modéstia do mundo, esse alguém sou eu. Sim, engenheiro, Rolando Garro, seu amigo e, se o senhor quiser, a partir de agora também sócio.

Falou não dez, mas quinze minutos seguidos, e com tanto cinismo e eloquência que o empresário, que o ouvia boquiaberto, não conseguiu interromper. Estava horrorizado, mas queria saber até onde seu descaramento podia chegar e o deixou falar e falar.

Esteve a ponto de interrompê-lo várias vezes, mas se conteve, fascinado com o que ouvia, como esses passarinhos que o olhar da serpente paralisa no ar antes de engoli-los. Não entrava em sua cabeça que alguém pudesse se desnudar de tal maneira, exibir as intenções que seu cérebro maquinava com aquela absoluta falta de escrúpulos. Ele disse que a *Revelações* se concentrava atualmente no mundo do espetáculo porque era o que Rolando Garro e sua equipe conheciam melhor, mas também por falta de recursos. E que, com o aumento do capital, seu raio de ação se ampliaria como ondas concêntricas e iria incorporando à sua temática — "às revelações que fazemos, falando com toda a clareza, engenheiro" — políticos, empresários também, naturalmente, mas, isto sim, o engenheiro Cárdenas sempre teria o direito de veto. Suas proibições e seus conselhos seriam sagrados para o semanário. Assim, então, em escala nacional, a *Revelações* divulgaria — "traria à luz" — todo o mundo de sombras, de adultérios, de homossexualismo, de lesbianismo, de sadomasoquismo, de animalismo e pedofilia, de corrupção e latrocínios que se aninhava nos porões da sociedade. Todo o Peru poderia satisfazer sua curiosidade mórbida, seu apetite por bisbilhotice, o prazer imenso dos medíocres, a maioria da humanidade, ao saberem que os famosos, os respeitáveis, as celebridades, os decentes também estão feitos do mesmo barro imundo que todos os outros. Após uma breve pausa, o jornalista lhe deu exemplos, nos Estados Unidos e na Europa, de publicações semelhantes ao que pretendia para a *Revelações*.

Já tinha terminado? Rolando Garro lhe sorria, com um ar muito satisfeito. Esperava sua resposta com uma expressão beatífica.

— Então o senhor vem propor que eu invista numa publicação destinada a espalhar o sensacionalismo e o escândalo por todo o país — disse por fim Enrique Cárdenas, falando lentamente para disfarçar a raiva que ia crescendo dentro dele como a lava de um vulcão.

— É o jornalismo que mais vende e o mais moderno no mundo de hoje, engenheiro — explicou, com gestos pedagógicos, Rolando Garro. — A *Revelações* vai lhe render muito dinheiro, garanto. Não é isso que importa para um capitalista? Ter lucros, dinheirinho vivo. Mas também, e talvez seja o mais importante, isso vai fazer do senhor um homem muito temido, don Enrique. Seus competidores terão pânico de que possa, graças à *Revelações*, jogá--los na ignomínia estalando os dedos. Pense no que isso significa, na arma que vou colocar nas suas mãos.

— As armas da máfia, da chantagem e da extorsão — disse Enrique; estava tremendo de indignação e precisava falar escandindo as palavras. — Sabe que escuto o que o senhor fala e não acredito que alguém possa dizer essas coisas que está me dizendo, sr. Garro?

Viu que o jornalista deixava de lado por um instante seu sorrisinho prepotente, ficava muito sério e, abrindo os braços, exclamava assombrado, como se estivesse se dirigindo a uma plateia cheia de espectadores:

— Estamos falando de moral, engenheiro? De ética? De escrúpulos?

— Sim, sr. Garro — explodiu ele. — De moral e de escrúpulos. Coisas que, pelo que acabei de ouvir, o senhor nem sabe que existem.

— Ninguém que tenha visto as fotografias que eu lhe trouxe outro dia diria que o senhor é um moralista tão escrupuloso, engenheiro — agora a voz de Rolando Garro era fria, pungente e agressiva, uma voz que Enrique não conhecia. Tinha parado de mastigar. Seus olhinhos quase o perfuravam.

— Não pretendo investir um centavo no seu pasquim imundo, sr. Garro — disse o empresário, levantando-se. — Por favor, vá embora e nunca mais ponha os pés no meu escritório. E, em relação a essas fotos falsificadas com que pretende me assustar, posso lhe garantir que está enganado. E que vai se arrepender se insistir nessa chantagem.

O jornalista não se levantou. Continuou sentado, desafiando-o com o olhar, como se estivesse ruminando o que ia dizer.

— De fato esta conversa está sendo gravada, sr. Garro — acrescentou o engenheiro. — Assim, a polícia e os juízes saberão que espécie de negócio veio me propor. O tipo de inseto asqueroso que o senhor é. Saia daqui imediatamente, senão eu mesmo vou ter que expulsá-lo a pontapés.

Dessa vez o jornalista, que havia perdido a cor com os insultos do engenheiro, se levantou. Balançou a cabeça algumas vezes e depois, com seu habitual jeito tarzanesco de andar, avançou sem pressa até a porta. Mas antes de sair virou-se para Enrique e lhe disse, com seu sorrisinho irônico recuperado e sua voz gritona:

— Recomendo a leitura do próximo número da *Revelações*, engenheiro. Juro que vai lhe interessar muito, do princípio até o fim.

Assim que o homenzinho saiu do escritório, Enrique telefonou para a firma de Luciano.

— Fiz uma barbaridade, velho — soltou, esquecendo-se até de dar bom-dia. — Sabe o que esse merdinha do Garro queria? Veio me propor que investisse cem mil dólares no pasquim dele. Para poder somar políticos, empresários e gente da sociedade às vedetes que enfoca agora e publicar todas as sujeiras secretas dessa gente. Não consegui me controlar. Tive ânsia de vômito. Afinal o expulsei aqui do escritório ameaçando uma surra se voltar a aparecer. Fiz uma estupidez, não foi, Luciano?

— Estupidez maior está fazendo agora, Quique — respondeu o amigo. Mantinha sua calma de sempre. — E se esta conversa estiver sendo gravada? É melhor conversarmos pessoalmente. Nunca mais por telefone, eu já lhe disse. Parece que não sabe em que país estamos, velho.

— Ele ameaçou dedicar o próximo número da revista a mim — continuou Enrique. Notou que estava suando copiosamente.

— Vamos falar disso depois, pessoalmente, não por telefone — interrompeu Luciano, muito enérgico. — Desculpe, mas preciso desligar.

E, de fato, Enrique ouviu um clique e silêncio. Luciano tinha desligado.

Ficou sentado por um bom tempo diante da sua mesa, sem ânimo para enfrentar as mil coisas pendentes na agenda do dia. Luciano temia que estivessem gravando a conversa. Quem? E para quê? O famoso Doutor? Não era impossível, claro. Luciano lhe havia contado a reunião que ele, os dois advogados criminalistas e os presidentes da Confiep e da Sociedade de Mineração tiveram com o chefe do Serviço de Inteligência. O Doutor parecia indignado com a tentativa de chantagem. Garantiu que ia fazer o chantagista entrar na linha; conhecia bem esse jornalista e o obrigaria a revelar seus cúmplices, se tivesse. Será que ia cumprir a palavra? Enrique não confiava em mais ninguém. Já fazia algum tempo que tudo era possível no Peru. Um país, pensava ele, cujas entranhas só agora estava começando a conhecer, apesar de já ter quase quarenta anos. Os quais, com exceção dos quatro de estudos no MIT de Cambridge, Massachusetts, tinha passado ali. Desde que aquelas fotografias chegaram às suas mãos ele abriu os olhos e se deparou com um inferno ainda pior que o das bombas do Sendero Luminoso e os sequestros do MRTA. "Onde você estava até agora, Quique?", perguntou-se. Não tinham sequestrado o pobre Cachito já havia tantos meses? Ele o conhecia pouco, mas sempre o considerou boa pessoa. Tinham jogado tênis uma vez, no Villa. Sebastián Zaldívar, Cachito para os amigos, dirigia sua manufatura com eficiência, mas sem muita imaginação. Não tinha grandes ambições. Contentava-se com o que tinha, suas partidas de tênis, seus cavalos de passo, de vez em quando uma viagenzinha a Miami para fazer compras, pular a cerca e dormir sossegado, sem apagões. Coitado! Que torturas estaria sofrendo? Seria real a ameaça desse canalha? Teria coragem de publicar as fotos? Imaginou sua mãe inclinada sobre a capa da *Revelações* e sentiu um calafrio. Talvez tivesse se precipitado ao ameaçar e insultar desse jeito aquele verme. Teria que recuar? Pedir desculpas e dizer a ele que ia investir os cem mil na sua repugnante publicação?

x. Os Três Piadistas

Quando abriu os olhos, a primeira coisa que viu foi a silhueta de Serafín desenhada no vão da única janelinha do seu quarto no Hotel Mogollón, que deixava sempre destrancada para que o gato pudesse ir ou voltar quando quisesse. "Ah, você voltou, sem-vergonha", disse, abrindo os braços; o gato imediatamente pulou da janela para a cama e veio se aconchegar ao seu lado. Juan Peineta coçou seu cangote e a barriguinha, sentindo que o bichano se espreguiçava, feliz. "Você ficou fora três dias, seu ingrato", ralhou. "Ou foram quatro, ou cinco? Quantas trapalhadas deve ter feito por aí." Será que o gato olhava mesmo para ele como se estivesse arrependido e se encolhia pedindo perdão? "Vamos tomar café mais tarde, Serafín. Estou com preguiça, quero ficar mais um pouquinho na cama."

A experiência com os Três Piadistas tinha sido, dependendo do ponto de vista, um grande sucesso ou o pior erro da sua vida. Um sucesso porque ganhou mais dinheiro que nunca. Ele e Atanasia se deram vários luxos, entre os quais tirar férias em Cuzco incluindo uma viagem a Machu Picchu, e ficou mais conhecido do que em todos os seus anos de recitador. No Peru inteiro! Sua foto saía nos jornais, as pessoas o reconheciam na rua e vinham lhe pedir autógrafos. Jamais tinha imaginado que pudesse acontecer algo assim com ele. Mas foi uma catástrofe porque nunca se sentiu à vontade trabalhando como palhaço, mas sim infeliz, e carregava para sempre um pesado sentimento de culpa: por ter traído a poesia, a arte, sua vocação de declamador.

O pior é que no programa dos Três Piadistas até que o faziam recitar. Quer dizer, começar a recitar a qualquer pretexto, só para que os outros dois piadistas o silenciassem com bofetadas que o derrubavam no chão e faziam rolar de rir o público que assistia à gravação do programa e, pelo visto, a miríade de telespectadores que eles tinham em todo o Peru. Eram os momentos em que Juan Peineta pior se sentia nos programas: ridicularizando a divina poesia. "Voltarão as escuras andorinhas" e, paf, "Cala a boca, babaca", bofetada, cai no chão e risos. "Verde que te quero verde, verde vento" e, paf, "Lá vem de novo o Pelópidas com seus versinhos", bofetada, estatelado no chão e risos estentóreos.

Tinham lhe ensinado todos os truques para as palhaçadas e ele aprendeu sem dificuldade. Bater palmas quando levava um tabefe para parecer que tinham batido muito mais forte e cair no chão dobrando as pernas e os braços como para-choques para atenuar o impacto. Dar gargalhadas estrondosas com a boca totalmente aberta ou gemer como uma criança e até chorar de verdade, quando as exigências do roteiro assim exigiam. Aceitava tudo e fazia o melhor que podia, como bom profissional. Mas nunca se acostumou com o momento, em todos os programas dos Três Piadistas, em que ele, a qualquer pretexto, começava a recitar um poema em voz alta — "Posso escrever os versos mais tristes esta noite..." — e seus parceiros, já fartos, o derrubavam no chão com um tapa. Achava aquilo indigno, sentia que estava cometendo um crime contra a poesia, dando uma punhalada traiçoeira no melhor que havia nele.

Não conseguiu fazer amizade com seus dois colegas do grupo Os Três Piadistas. Eles jamais o aceitaram como um igual, ficavam o tempo todo falando de Tiburcio, o falecido, soltando indiretas, repetindo que ele não era nem nunca seria um cômico tão bom, nem uma pessoa tão boa, nem um companheiro tão bom como o outro. Mas talvez, o próprio Juan às vezes reconhecia, ele não tenha se esforçado muito para conquistar a simpatia e a amizade dos outros dois. Na verdade, desprezava-os por serem incultos e grossos, por não saberem o que era a arte e não terem o menor respeito pelo ofício com que ganhavam a vida. Eloy Cabra tinha sido palhaço em circos de província antes de se incorporar ao programa *Os Três Piadistas*. Vivia e trabalhava para encher a cara e ir aos bordéis onde, gabava-se, as meninas lhe davam um desconto porque aparecia na televisão e era famoso. O outro "piadista", Julito Ceres, tinha sido violonista de música folclórica e vencedor do Concurso de Imitadores da América Televisión, no qual embolsou dois mil soles imitando o presidente da República, Chabuca Granda e dois artistas de Hollywood. Não era tão tosco e primitivo como Eloy Cabra, mas, apesar de ter melhor educação que este, sentia um enorme desprezo pela profissão de Juan Peineta; considerava a declamação uma coisa de fresco, de boiola, e fazia Juan se lembrar disso o tempo todo, com cacos ferinos que acrescentava ao roteiro na hora de gravar o programa.

Com o roteirista, Juan Peineta tampouco se dava bem. Era um senhor de sobrenome Corrochano que no canal todo mundo chamava de Mestre, talvez porque estava sempre de gravata e cachecol. Escrevia roteiros para vários programas, com diferentes pseudônimos, e trabalhava numa sala pequena que chamavam de Santuário, porque ninguém podia entrar lá sem autorização do todo-poderoso roteirista. Como podia um homem como ele, advogado, que se vestia bem e era gentil e bem falante com todos, escrever aqueles roteiros tão vulgares e ridículos, tão toscos, grossos e estúpidos? A explicação era que o povo gostava daquilo: a audiência do programa batia recordes, encabeçando as pesquisas desde que foi criado.

Por que não deixou de trabalhar como comediante com os Três Piadistas já que vivia desgostoso por fazer o que fazia? Por razões práticas. Com os dez mil soles por mês, que aumentaram para doze e depois para catorze mil, ele e Atanasia puderam comprar roupa, frequentar cinemas e restaurantes, e até economizar para uma viagem a Miami, o grande sonho da sua mulher, maior até que seu outro sonho: ter um filho. Mas este último não se concretizou; os médicos disseram que era impossível. O aparelho reprodutivo de Atanasia tinha uma conformação que desintegrava os óvulos assim que se constituíam. Apesar desse diagnóstico, ela fez questão de se submeter a um tratamento. Custou caríssimo e não adiantou nada.

Juan chegou a chorar de impotência e frustração depois de gravar alguns programas dos Três Piadistas particularmente humilhantes para ele. E nunca perdeu a saudade dos seus bons tempos de declamador. Às vezes recitava alguns versos que sabia de cor — eram muitíssimos — na frente de um espelho ("— Me escreva uma carta, senhor padre/ — Já sei para quem é", de Campoamor) ou da mulher, e seu coração encolhia de tristeza pensando em como tinha se rebaixado como artista ao passar de declamador a comediante.

Com esses antecedentes, deveria ter ficado satisfeito com a campanha que, sem saber como nem por quê, foi desferida contra ele no *Última Hora*, uma campanha que, após alguns meses de muita angústia, terminaria com sua carreira de palhaço da televisão. A história dessa campanha era incrível. Apesar de ter passado tanto tempo, ainda continuava tirando o seu sono. Mas, com a perda da memória, não lembrava muito bem e, às vezes, tinha a sensação de que sua cabeça tergiversava as coisas.

O ditado diz "A desgraça nunca vem sozinha", e Juan Peineta podia afirmar que no seu caso se cumpriu ao pé da letra. Porque os ataques contra ele no *Última Hora* coincidiram com as dores de cabeça de Atanasia. A princípio eles tratavam com Melhoral, mas como afinal os comprimidos não faziam mais efeito, foram ao Hospital del Seguro. Depois de quase duas horas de espera, o médico que a atendeu disse que era um problema da vista e a encaminhou para um oculista. E este, de fato, diagnosticou presbiopia e lhe receitou uns óculos que, por algum tempo, aliviaram as enxaquecas.

Como começaram os ataques no *Última Hora*? Juan Peineta se lembrava de maneira confusa. Alguém lhe disse que a coluna de Rolando Garro, que todo o pessoal do rádio e da televisão lia religiosamente, comentou que o programa *Os Três Piadistas* da América Televisión tinha caído muito desde que Tiburcio morreu e foi substituído por Juan Peineta, um recitador de auditório que era um horror contando piadas e não servia nem para levar as bofetadas que seus dois companheiros lhe davam ("merecidamente") toda vez que ameaçava recitar no programa.

Ele não leu essa coluna, nem as outras em que, pelo visto, o jornalista continuou criticando-o, até que um dia Eloy Cabra veio adverti-lo, no final de uma gravação: "Esses ataques também nos atingem, podem afetar a nossa audiência. Você tem que fazer alguma coisa para que eles parem". E o que podia fazer Juan Peineta para que aquele sujeito parasse de atacá-lo?

— Uma visita simpática e um presentinho para o sr. Garro — sussurrou-lhe Eloy Cabra, piscando um olho.

— Ah, caramba — assombrou-se ele. — É assim que as coisas funcionam?

— É assim que as coisas funcionam com jornalistas propineiros — explicou Eloy Cabra. — É melhor ir logo. Esse sr. Garro é muito influente e pode fazer a nossa audiência cair. E nós não vamos permitir isso, nem nós, nem o produtor do programa, nem a emissora. Tome nota, companheiro.

A ameaça de Eloy Cabra o irritou tanto que, em vez de dar o presentinho que seu colega dos Três Piadistas tinha aconselhado, Juan Peineta escreveu uma carta ao diretor do *Última Hora* queixando-se dos ataques "injustos e injustificados" de que era vítima por parte do colunista de espetáculos. E avisou que, se essa campanha não parasse, iria à justiça.

Mais tarde ele próprio reconheceria que tinha sido imprudente, que tinha entrado sozinho nas areias movediças que engoliriam sua carreira de comediante. Porque, em vez de parar, os ataques do jornalista contra ele se multiplicaram a partir de então, e não só em sua coluna do *Última Hora*, mas também num programinha que tinha na Rádio Colonial, no qual dizia diariamente que ele era o "pseudoator" mais inepto da televisão peruana e estava levando à ruína — quer dizer, deixando sem telespectadores — *Os Três Piadistas*, que era o programa cômico mais popular do país quando "o descartável Juan Peineta substituiu o desventurado e admirado Tiburcio Lanza".

Nessa mesma época descobriram que Atanasia tinha um tumor no cérebro, a verdadeira causa de suas dores de cabeça periódicas. Porque, de uma hora para outra, ficou muda. Ela abria a boca, movia os lábios — com os olhos cheios de desespero — e emitia sons guturais em vez de palavras. Afinal, o médico que a examinou, e que era um clínico geral, mandou-a consultar um neurocirurgião. Este afirmou que tudo indicava a presença de um tumor cerebral, mas era preciso comprovar com uma ressonância magnética. Como a espera para esse exame na Previdência Social era de várias semanas — ou talvez meses —, Juan levou Atanasia para fazer a ressonância numa clínica particular. Sim, era um tumor, e o neurocirurgião disse que havia necessidade de operar. Mas, antes, era preciso fazer quimioterapia para reduzi-lo. Juan lembrava esse período do tratamento quimioterápico como um lento pesadelo. Depois de cada sessão Atanasia ficava num estado de fraqueza tal que quase não podia se mexer. Não chegou a recuperar a voz e, pouco tempo depois, não conseguia mais se levantar da cama. O neurocirurgião da Previdência disse então que, no estado em que estava aquela senhora, não se arriscava a meter a faca. Tinham que esperar até que ela se recuperasse um pouco.

Estavam nisso quando Juan Peineta foi convocado de novo pelo sr. Ferrero e seus anéis de ouro e seu relógio fluorescente para tomar um cafezinho nos arredores da América Televisión. Era para comunicar-lhe que tinha que sair do programa. E o fez com sua brutalidade característica: a audiência estava caindo, os anunciantes reclamavam, os *surveys* eram categóricos: Juan tinha perdido os favores do público e era um fardo para os seus colegas. Tentou protestar, dizendo que tudo aquilo era resultado da campanha do sr. Rolando Garro contra ele, mas o sr. Ferrero estava muito ocupado, não queria perder tempo com conversinhas de baixo nível; ele podia passar no caixa hoje mesmo para acertar as contas. A emissora, acrescentou para levantar seu ânimo, ia lhe dar mais um salário além do que lhe cabia, como gratificação extra.

Seis meses depois Atanasia morreu sem ter sido operada e Juan Peineta não conseguiu nenhum trabalho, nem como recitador nem como comediante. Nunca mais teve um emprego regular, só uns bicos miseráveis que às vezes lhe pagavam com trocados. A partir de então costumava dizer aos poucos amigos que lhe restaram — e que iria perdendo junto com a memória, todos menos dois: o Ruletero e Crecilda — que todas as desgraças da sua vida se deviam a um filho da puta chamado Rolando Garro, um jornalista que nunca na vida tinha visto pessoalmente.

Desde então se dedicou à vingança. Quer dizer, a dificultar a vida do causador de todos os seus males. Chegou a se tornar algo semelhante a um vício inextirpável. Acompanhava todos os programas dele no rádio e na televisão e lia tudo o que publicava, para poder criticá-lo com conhecimento de causa. Mandava cartas — assinadas com seu nome — aos donos e diretores dos canais da televisão, rádios, revistas e jornais, acusando-o de tudo, das gafes que cometia às calúnias e infâmias que divulgava, e de mil outras maldades verdadeiras ou imaginadas por ele, às vezes até ameaçando-o com ações legais que não estava em condições de iniciar. Será que essas missivas tinham algum efeito negativo na vida profissional de Rolando Garro? Provavelmente não, a julgar pela popularidade que este ia conquistando com suas revelações, escândalos e vazamentos em meio ao público de classe baixa para o qual direcionava prioritariamente suas colunas e programas. Uma vez Juan Peineta chegou ao extremo de fazer sozinho uma manifestação com um cartaz na frente da América Televisión, acusando Garro de deixá-lo sem trabalho e da morte da sua esposa. Os guardas da emissora o expulsaram aos empurrões. No mundo do espetáculo, onde ninguém mais se lembrava dos seus bons tempos, Juan Peineta começou a ser conhecido, com humor, como "o maluquinho das cartas, o inimigo consuetudinário de Rolando Garro".

XI. O escândalo

Como todos os dias, de segunda a sexta, Chabela foi a primeira a ouvir o despertador. Bocejando, levantou-se para escovar os dentes e lavar o rosto e depois foi acordar as duas filhas no quarto delas e aprontá-las para o colégio. As duas tinham ficado acordadas até tarde fazendo o dever e a mãe teve mais trabalho que o de sempre para obrigá-las a levantarem. Quando desceu com elas, a cozinheira e Nicasia, a arrumadeira, já tinham preparado o café da manhã. Luciano apareceu pouco depois, de banho tomado, barbeado, vestido e com os sapatos reluzindo, pronto para sair rumo ao escritório. Mas, antes, levou as duas meninas para esperar o ônibus do Colégio Franklin Delano Roosevelt, que parava na porta da grande casa em La Rinconada, cercada por um jardim cheio de árvores altas — fícus da Índia, sequoias da América do Norte e até duas ou três aroeiras andinas — onde já reluziam os azulejos da piscina. Chabela observou, da sala, ainda de roupão, as meninas subindo no ônibus que, pontualíssimo como sempre, freou diante do grande portão às sete e meia da manhã. Luciano voltou para apanhar sua pasta e despedir-se da mulher. Como sempre, estava elegante como um manequim.

— Que tal irmos ao cinema esta tarde? — disse ela, oferecendo-lhe o rosto. — Há séculos que não vemos um filme em tela grande, Luciano. Ver na televisão não é a mesma coisa. Vamos ao Larcomar, que é tão simpático.

— Tenho que construir de uma vez o tal cineminha no fundo do jardim — disse Luciano. — Para ter a nossa própria cinemateca e ver filmes aqui, na nossa casinha.

— Você já me prometeu tantas vezes que não acredito mais — bocejou Chabela.

— Juro que este verão eu construo — respondeu o marido, andando em direção à porta. — Vou tentar sair mais cedo do escritório, mas não garanto. De todo modo, ache um bom filme. Eu telefono, de qualquer maneira. Tchauzinho, amor.

Viu-o tirar o carro da garagem e partir, acenando para ela, e ela também lhe deu adeus por trás da cortina. Era um dia cinzento e úmido, com o céu fechado, cheio de nuvens plúmbeas, tão feio que parecia pressagiar algo sinistro. Chabela pensou com pena que ainda faltavam muitos meses para o verão voltar. Sentiu saudade da sua casa de praia em La Quipa, dos banhos de mar, das longas caminhadas na areia. Não tinha dormido bem essa noite, estava meio cansada. Iria nadar um pouco na piscina climatizada? Não, preferia ficar mais um tempo na cama. Subiu para o quarto, tirou o roupão e voltou para debaixo dos lençóis. As cortinas continuavam fechadas, havia penumbra e um silêncio profundo em toda a casa. Ela tinha pilates e ioga às dez da manhã na academia, portanto havia muito tempo; fechou os olhos para cochilar mais um pouquinho. Dois dias antes, ela e Marisa tinham almoçado juntas e, ao voltarem do El Central, de Miraflores, depois de comerem coisas deliciosas, se trancaram no quarto de Marisa, na cobertura de San Isidro, e fizeram amor. "Também delicioso", pensou. E naquela mesma noite ela e Luciano tinham feito amor. "Que excesso, Chabelita", riu, quase adormecendo. Na verdade, as coisas andavam bastante bem em sua vida; não havia nenhuma complicação nessa nova relação que mantinha com sua melhor amiga. Se não fossem o terrorismo e os sequestros, de fato se viveria muito bem em Lima. Ela e Marisa continuavam se vendo, como antigamente, mas agora também compartilhavam um segredinho: gozavam juntas. Pena que Marisa estivesse tão tensa com as neurastenias de Quique, qual seria a preocupação que o devorava por dentro, sem dar um pio, sem contar à própria mulher o que estava acontecendo. Marisa o arrastara para o consultório do dr. Saldaña, da Clínica San Felipe, mas este, depois de examiná-lo, achou que estava muito bem e só receitou uns comprimidos fraquinhos para o sono. Será que Quique tinha uma amante? Impossível, qualquer um menos ele; como dizia Marisa, "meu maridinho nasceu santo, por isso ser fiel não é mérito algum".

"E Luciano, nem se fala", pensou Chabela. "Os dois vão direto para o céu."

Adormeceu, e quando acordou já eram nove e quinze da manhã. Tinha o tempo exato para chegar à academia, fazer a aula de pilates e depois a de ioga. Estava se vestindo e calçando o tênis de ginástica quando Nicasia, a empregada, veio lhe dizer que a sra. Ketty estava ao telefone, era urgentíssimo. "Essa chata", pensou Chabela. Mas a palavra "urgentíssimo" acendeu sua curiosidade e, em vez de dizer que não podia atender, levantou o fone.

— Olá, Ketty, amor — disse, meio aturdida. — O que foi? É que estou com muita pressa, não quero perder minhas aulas de pilates e ioga.

— Você viu a *Revelações*, Chabelita? — disparou Ketty, com uma voz de além-túmulo.

— *Revelações*? — perguntou Chabela. — O que é isso?

— Uma revista — disse Ketty, agora espantada. — Você não vai acreditar, Chabelita. Mande comprá-la agora mesmo. Vai cair para trás de susto, juro.

— Quer parar de fazer mistério, Ketty? — protestou Chabela, um pouco alarmada. — O que está acontecendo? O que há nessa revista?

— Estou com vergonha de dizer, Chabela. É sobre o Enrique. O Quique, sim. Você não vai acreditar, juro! Sei que é muito amiga da mulher dele. Como deve estar a pobre Marisa, tenho até pena. Que vergonha, Chabela. Nunca senti tanta vergonha como hoje vendo essa revista, sabe. Uma nojeira inacreditável, você vai ver!

— Quer me dizer afinal que merda você viu? — interrompeu Chabela, furiosa. — Vamos parar com esses rodeios, Ketty, por favor.

— Não dá para dizer. Você tem que ver com seus próprios olhos. E não fale palavrão, por favor, que dói nos meus ouvidos — protestou Ketty. — Eu fico envergonhada, fico horrorizada. É horrível, Chabela. Não se fala de outra coisa em toda Lima. Já me ligaram duas amigas, apavoradas. Mande comprar agora mesmo. *Revelações*, sim, é assim que se chama. Eu também não sabia que existia, até hoje.

Desligou, e Chabela ficou com o telefone na mão. Estava muito ansiosa e começou a digitar o número do celular de Marisa, mas se conteve. Era melhor se informar primeiro. Chamou o chofer pelo interfone e pediu que fosse comprar uma revista chamada *Revelações*. Terminou de se aprontar para ir à academia, mas, como o chofer estava demorando muito, resolveu desistir do pilates e da ioga e, armando-se de coragem, telefonou para Marisa. Ocupado. Telefonou dez vezes seguidas, e sempre ocupado. Afinal o chofer voltou com a revista nas mãos e uma cara de assombro e escárnio que não tentava disfarçar. Na capa havia uma grande foto na qual Chabela reconheceu imediatamente o rosto de Quique. Meu Deus! Não podia ser! Quique — claro que era ele — pelado! Nuzinho da cabeça aos pés! E o que estava fazendo?, ela não acreditava que estivesse vendo aquilo que via. Seu rosto queimava, suas mãos tremiam.

Nisso tocou o telefone. Chabela continuava olhando para a capa da revista numa espécie de transe, sem conseguir ler a legenda que acompanhava a foto. Viu que Nicasia entrava no seu quarto e lhe dizia que a sra. Marisa estava ao telefone. Sua amiga quase não conseguia falar.

— Já viu o que está acontecendo, Chabela? — ouviu-a gaguejar. Um soluço cortou sua voz.

— Fique calma, amor — consolou-a, balbuciando também ela. — Quer que eu vá para aí? Você tem que sair de casa senão vai acabar ficando louca com esses jornalistas. Vou buscá-la agora mesmo, está bem?

— Sim, sim, por favor, venha correndo — choramingou Marisa ao telefone. — Não dá para acreditar, Chabela. Preciso sair daqui, sim. Já estou quase doida com tantos telefonemas.

— Vou sair neste instante. Não atenda o telefone, não abra a porta para ninguém. Essa gentinha horrorosa já deve estar na entrada do seu edifício.

Desligou e, apesar da vontade que tinha de tomar um banho rapidinho, não conseguiu se mexer. Atônita, desconcertada, passava as páginas da revista e não acreditava, não aceitava, não se convencia de que estava vendo o que via. Podiam ter sido manipuladas essas fotos? Sim, na certa foi o que aconteceu. Devia ser por isso que o coitado do Quique estava tão atormentado nos últimos tempos. Coitado? Que sacana, se essas fotos forem verdadeiras. Quanto escândalo, quanto falatório, quanta encrenca a pobre Marisa ia ter que enfrentar. Precisava tirá-la de casa o mais rápido possível. Jogou a revista no chão, correu para o banheiro, tomou um banho velozmente, vestiu às pressas a primeira coisa que encontrou no armário, pôs um lenço na cabeça à guisa de turbante, entrou no carro e saiu voando para a casa de Marisa. Levou mais de meia hora até chegar a San Isidro porque a essa hora o tráfego já estava muito intenso no largo Javier Prado e no Zanjón. Coitadinha da Marisa. Incrível, meu Deus. Era por isso que ele estava nesse estado havia tantos dias, claro. Coitado do Quique, também. Ou senão, que desgraçadinho, que canalha se revelou esse mosquinha-morta. Com toda certeza, claro que sim. Fazer uma sujeira dessas com a pobre Marisa!

Chegando ao edifício onde moravam Marisa e Enrique, nos arredores do Clube de Golfe, viu uma pequena multidão aglomerada na entrada, com flashes e câmeras. Já estavam aqui, claro. Não freou, seguiu em frente e estacionou ao virar a esquina. Voltou a pé, pediu licença aos fotógrafos e cinegrafistas e um deles lhe perguntou: "A senhora vai para a casa da família Cárdenas?". Ela, sem parar, fez que não com a cabeça. O porteiro, que barrava as pessoas na porta impedindo sua passagem com o corpo, imediatamente a reconheceu e se afastou para deixá-la entrar. O elevador estava vazio e ela subiu sozinha até a cobertura. Quintanilla, que abriu a porta, estava com cara de luto e, sem dizer uma palavra, apontou para o quarto.

Chabela entrou e viu Marisa em pé em frente à janela, olhando para a rua. Quando a escutou, ela se virou e foi ao seu encontro, lívida. Caiu em seus braços, soluçando. Chabela sentiu que todo o corpo da amiga estava tremendo e que o choro não a deixava falar. "Fique calma, amor", sussurrou-lhe no ouvido. "Eu vim ajudar, vim ficar com você", "Precisa ser forte, Marisita", "Conte-me o que houve, como pode ter acontecido uma coisa dessas".

Por fim, Marisa foi se acalmando. Chabela pegou sua mão, levou-a para um sofá, fez com que se sentasse junto à escultura de Berrocal e sentou-se ao lado. Ela estava de roupão e com o cabelo desgrenhado, e devia estar chorando havia um bom tempo, porque tinha os olhos inchados e os lábios roxos, como se os houvesse mordido.

— Como aconteceu isso? Já falou com Quique? — perguntou Chabela, ajeitando o cabelo louro da amiga, acariciando-a, aproximando o rosto, beijando-lhe a bochecha, segurando suas brancas mãos entre as dela. Estavam geladas. Esfregou-as, para esquentar.

— Não sei de nada, Chabela — ouviu-a balbuciar; nunca a tinha visto tão pálida, seus olhos azuis pareciam líquidos. — Não consigo falar com ele, não está no escritório ou então se nega a atender. Isso é horrível. Você viu as fotos? Ainda não acredito que seja verdade, Chabela. Não sei o que fazer, quero que ele me explique. Como é possível, que vergonha, nunca me senti tão machucada, tão traída, que horror. Meus pais e meus irmãos já telefonaram, espantados. Nem sei o que dizer a eles.

— Podem ser fotos trucadas, agora os fotógrafos falsificam qualquer coisa — tentou tranquilizá-la.

Em seu tatibitate, como se não estivesse ouvindo, Marisa contou que o marido tinha se levantado cedo como de costume, tomaram café juntos e depois ele saiu para o escritório, antes das oito. E nesse mesmo momento Marisa recebeu a primeira ligação. Sua prima Alicia, que estava levando o filhinho para o Colégio San Agustín, ficou pasma quando, num sinal de trânsito, um jornaleiro lhe enfiou no carro essa revista imunda. E ela, claro, comprou quando viu Quique na capa. E pelado, isso mesmo, nuzinho! Sua prima também achava que era *fake*, que haviam manipulado essas fotos, era impossível que Quique tivesse feito uma coisa assim. Marisa mandou comprar a revista e ainda não conseguia acreditar no que aquelas páginas nojentas mostravam. A revista todinha dedicada à tal bacanal em Chosica! Teve náuseas, vomitou. E depois os telefones não pararam, todas as malditas fofoqueiras de Lima pareciam já estar a par da história. E pouco depois começaram a ligar também as rádios, os jornais, os canais de TV. Uma revista que até esse momento Marisa nem sabia que existia. Sim, só podia ser falsificação, não é mesmo? Porque, repetia e repetia para se convencer, era impossível que Quique fizesse essas coisas. O pior da história era que ainda não tinha conseguido falar com ele. Tinha sumido do escritório ou mandava dizer que não estava; a secretária se contradizia, afirmava que não havia chegado ou que tinha acabado de sair às pressas. Na certa os malditos jornalistas estavam à sua procura e o coitado tinha se escondido em algum canto para se livrar deles. Mas como era possível que não telefonasse para tranquilizá-la, para lhe dar alguma explicação, dizer que era tudo mentira e que logo, logo viriam os desmentidos e tudo se esclareceria?

— Fique calma, Marisa — segurou-a pelos ombros Chabela. — Você tem que sair daqui. Senão vai acabar doidinha. Vista-se, vou pedir que o chofer de Luciano venha nos buscar. Entrando com o carro direto na garagem para que os jornalistas não a vejam sair, porque senão nos seguiriam. Vamos para a minha casa, lá você vai estar tranquila, podemos conversar com calma e procurar o Quique. Com certeza isso é trucado, um fake desse pasquim nojento, ele vai lhe explicar tudo. O importante agora é sair daqui, concorda, amor?

Marisa assentiu e agora a abraçava. Beijaram-se nos lábios, de leve. "Sim, sim, vamos, Chabelita, estou tão grata por você estar aqui, sabe, eu estava quase ficando maluca quando chegou."

Chabela beijou-a, agora no rosto, e ajudou-a a se levantar. "Prepare uma maletinha com as coisas indispensáveis, Marisa. Vai ser melhor ficar uns dias lá em casa, até a tempestade passar. De lá nós telefonamos para Quique. Enquanto você se apronta, vou falando com Luciano."

Marisa entrou no banheiro, e Chabela ligou para o escritório de Luciano. Bastou ouvir sua voz para saber que o marido já estava a par de tudo.

— Você viu a *Revelações*? — perguntou, mesmo assim.

— Não deve existir uma única pessoa neste país que não tenha visto esse pasquim putrefato — disse Luciano, com uma voz azeda. — Estou tentando localizar Quique, mas ainda não consegui.

— Marisa tampouco o encontra — interrompeu Chabela. — Mas agora o mais importante é tirar Marisa daqui, Luciano. Sim, estou na casa dela, fazendo-lhe companhia. Como era de se esperar, tem um monte de jornalistas na porta do edifício. Mande o carro para cá com o chofer. Diga a ele que entre direto na garagem, vou pedir que abram a porta. Estamos aqui esperando. Depois nos vemos em casa. Você vai poder ir conversar com ela?

— Sim, sim, vou almoçar em casa e lá falo com ela — disse Luciano. — Mas agora o mais importante é encontrar Quique. Vou mandar o chofer agora mesmo. Se Marisa localizar o Quique, deve dizer a ele que me telefone imediatamente. E que nem pense em fazer qualquer declaração a ninguém antes de falar comigo.

Fizeram as coisas tal como Chabela havia planejado. O chofer de Luciano foi diretamente para o interior da garagem, elas entraram no carro e Marisa se encolheu no banco para que os jornalistas não a vissem. O carro passou e todos pensaram que Chabela era a única passageira. Ninguém as seguiu. Meia hora depois estavam em La Rinconada e Chabela ajudava sua amiga a se instalar no quarto de hóspedes, uma ala completamente independente do resto da casa. Depois, levou-a para a sala e pediu à cozinheira que fizesse um chá de camomila bem quentinho. Sentou-se ao seu lado e enxugou suas lágrimas com um lenço.

— Era isso que o deixava sem dormir nem comer, que o estava destruindo há mais de duas semanas — disse Marisa, depois de beber uns goles da xícara. — Ele me disse que uns chantagistas lhe fizeram ameaças por telefone. Agora tenho certeza de que era isso, eram as fotos que essa revista publicou.

— Essas fotos foram manipuladas, Marisa. — Chabela pegou-lhe as mãos e beijou-as. — Você não imagina como eu lamento ver você passando por isso, coração. Quique vai aparecer e dar uma explicação, você vai ver.

— Acha que não pensei que podem ser fotos trucadas? — Marisa apertou as mãos da amiga. — Mas você olhou bem, Chabela? Tomara que sejam falsificadas mesmo, retocadas. Às vezes fico na dúvida. Mas, mesmo que sejam, o escândalo já está aí, ninguém mais segura, não tem retorno. Você imagina como será a minha vida agora, depois disso? E minha sogra vai morrer, garanto. Ela, que é tão quadrada e orgulhosa, não vai resistir a uma coisa assim.

Como que confirmando suas palavras, Nicasia veio dizer que no rádio e na televisão estavam falando das fotografias que saíram na *Revelações*.

— Não estamos interessadas em saber — interrompeu Chabela. — Desligue o rádio e a televisão e não nos passe nenhuma ligação, a menos que sejam Luciano ou o sr. Enrique.

Poucos minutos depois, Luciano telefonou.

— Acabei de falar com Quique — disse à mulher. — Está na casa da mãe. Já tinham levado a revista para a pobre senhora, veja só que canalhice. Foi preciso chamar o médico. Quique continua com ela, não pode sair de lá até saber se é grave. Diga a Marisa que nem pense em visitar a sogra. Os jornalistas também estão rondando a casa dela. Vou para lá assim que puder. Tranquilize a Marisa; diga a ela que, quando a mãe se recuperar um pouco, Quique vai vê-la e explicar tudo.

Chabela e Marisa passaram o resto da manhã conversando. Evidentemente, não havia outro assunto além daquelas fotografias nojentas. "Minha sogra vai morrer", repetia. "Luciano contou quem foi que levou a revista para ela? O povo de Lima é o mais cruel que existe no mundo, Chabela. Acho que a coitada não vai resistir a este escândalo. A pobre velhinha é a virtude em pessoa, deve ter sofrido um choque terrível vendo essas fotos. Você não achou incrível ver o Quique ali, nu, no meio daquelas rameiras, fazendo aquelas porcarias?"

— Pode ser que não seja ele, amor, pode ser que todas essas fotos tenham sido manipuladas só para prejudicá-lo. Fique calma, por favor.

— Estou calma, Chabela. Mas, já pensou no que vai acontecer agora com a minha vida, com o meu casamento? Como um casamento pode sobreviver a uma coisa assim?

— Não pense nisso agora, Marisa. Fale primeiro com Quique. Estou certa de que tudo isso é uma armação para prejudicá-lo. De algum invejoso, um inimigo desses que você arranja aqui neste país, simplesmente porque seus negócios vão bem.

Marisa não comeu nada na hora do almoço. Ligaram a televisão para ver as notícias, mas como a primeira coisa que apareceu na tela foi a capa da *Revelações* e a locutora anunciou a notícia praticamente gritando: "Escândalo nas altas rodas!", desligaram o aparelho. Por volta das quatro da tarde, Luciano chegou. Abraçou e beijou Marisa e leu um comunicado que, contou, tinha distribuído à imprensa em nome de Quique. O engenheiro Enrique Cárdenas Sommerville dizia ser vítima de uma publicação especializada em sensacionalismo e escândalo que no seu último número publicou fotografias trucadas e falsas com as quais pretendia solapar a honra do empresário. Essa vituperável pretensão teria resposta e seria punida de acordo com a legislação em vigor. Os advogados já haviam apresentado uma liminar ao Poder Judiciário pedindo o recolhimento imediato pela polícia da publicação caluniosa e ofensiva, assim como medidas cautelares para que Rolando Garro, diretor da *Revelações*, a jornalista Julieta Leguizamón, coautora do artigo difamador, e o respectivo fotógrafo fossem impedidos de fugir do país e assim escapar à punição que mereciam por tentativa de chantagem, injúria, falsificação de documento, ofensa à honra e à privacidade. A ação judicial já havia sido iniciada e o engenheiro Enrique Cárdenas Sommerville daria uma coletiva sobre aquela tentativa covarde e suja do jornalismo lixo de prejudicar sua pessoa e sua família.

Chabela olhou para Marisa. Tinha escutado o comunicado que Luciano acabava de ler branca como a neve, olhando para baixo e imóvel. Quando ele terminou, não fez nenhum comentário. Luciano dobrou o papel que tinha lido e se aproximou de Marisa, abraçou-a e beijou-a de novo na testa.

— Tudo isso já está em andamento, Marisita — disse-lhe. — Pode ser tarde para tirar a revista de todas as bancas. Mas garanto que o canalha que fez isso vai pagar bem caro.

— Onde está Quique? — perguntou Marisa.

— Teve que passar um minuto no escritório, para resolver uns assuntos urgentes. Pediu-me que o esperasse aqui. Vai chegar logo. É melhor você e Quique ficarem conosco por uns dias, até a tempestade amainar. Você precisa ter coragem, Marisa. Os escândalos parecem terríveis quando acontecem. Mas passam logo e pouco depois ninguém se lembra mais deles.

Chabela pensou que seu marido não acreditava em uma palavra do que estava dizendo. Luciano era tão correto que não sabia sequer disfarçar as mentiras.

xii. Refeitório popular

Juan Peineta começou a manhã, como quase todos os dias, escrevendo com um lápis e sua mão trêmula uma cartinha contra Rolando Garro. Dirigida ao jornal *El Comercio*. Nela protestava porque o decano da imprensa nacional não havia publicado suas três missivas anteriores "contra esse meliante, inimigo da arte e dos espetáculos de qualidade que é o sr. Rolando Garro", o qual continuava "fazendo das suas nos seus pasquins e programas caluniadores, destruindo reputações e atentando contra tudo o que é decente, criativo e talentoso no meio artístico nacional, do qual ele não passa de uma pestilenta excrescência". Assinou e pôs a carta num envelope onde colou um selo e guardou-o no bolso para deixar na primeira caixa de correio que encontrasse pelo caminho. Esperava não esquecer. Porque às vezes isso acontecia, e algumas das cartas vegetavam por muitos dias em seus bolsos sem lembrar-se de enviá-las.

Ia almoçar três ou quatro vezes por semana no refeitório popular que as carmelitas descalças mantinham no seu mosteiro de Nossa Senhora do Carmo, na oitava quadra do largo Junín, em Carmen Alto. A comida não era substanciosa, mas tinha a vantagem de ser gratuita. Havia sempre uma longa fila, com nuvens de gente pobre; melhor chegar cedo porque a entrada era limitada, somente cinquenta pessoas por turno, e muitas outras ficavam sem entrar. Por isso Juan saía com bastante antecedência do Hotel Mogollón. Não era uma caminhada tão longa ir de lá até os Bairros Altos; ele subia toda a avenida Abancay e, contornando a plaza de la Inquisición e o Congresso da República, remontava o largo Junín até perto de Cinco Esquinas. Mas para ele, sim, era longa porque, com suas varizes e suas distrações, tinha que andar bem devagarzinho. Levava quase uma hora e precisava dar pelo menos duas ou três paradinhas durante o percurso.

Serafín não o acompanhava nesses trajetos. Saía ao seu lado do Hotel Mogollón, mas, quando percebia que Juan rumava para os Bairros Altos, sumia silenciosamente. Por que temia tanto aquela área empobrecida do centro de Lima? Talvez porque, com a inteligência natural dos gatos, o amigo de Juan Peineta tenha chegado à conclusão de que era um bairro perigoso, onde podia ser sequestrado e virar guisado ou cozido de gato e devorado como um manjar pelos comedores de felinos do bairro, que deviam ser numerosos. Para Juan Peineta comer um bichinho tão próximo, tão doméstico, era uma forma de canibalismo, praticamente o mesmo que comer um ser humano.

Chegou cedo ao mosteiro das Descalças, e mesmo assim já havia uma boa fila de pobres, mendigos e vagabundos, gente sem trabalho, velhinhos e velhinhas que pareciam recém-chegados a Lima das suas remotas comunidades nas montanhas. Eram facilmente reconhecíveis porque olhavam para tudo em volta meio apatetados, como se tivessem perdido o rumo e receassem nunca mais encontrar. Depois de ficar na fila por uma meia hora, Juan viu que se abriam os portões do refeitório popular e os comensais do primeiro turno começavam a entrar. Ainda na porta, viu circulando entre as mesas a volumosa e amorfa silhueta da sua amiga Crecilda; fez um gesto com a mão, mas ela não o viu. Já se conheciam havia muitos anos, desde a época em que ela era dona de uma academia de dança tropical no bairro de Magdalena Vieja. Mas só ficaram amigos aqui, no refeitório popular, onde as irmãs carmelitas ofereciam almoços gratuitos desde tempos imemoriais.

O cardápio era quase sempre o mesmo, servido em uns pratos metálicos velhos e amassados: sopinha de macarrão, um guisado de verduras com arroz e, de sobremesa, compota de maçã ou de limão. Quando chegavam, os pratos já estavam nas mesas; umas empregadas de avental e lenço na cabeça serviam a comida usando grandes conchas de sopa, mas quando acabavam de comer eram os próprios pobres que tinham que levar os pratos para um tanque onde as mesmas moças que tinham servido a comida dos caldeirões os recebiam e lavavam. E Crecilda dirigia tudo aquilo, com mão suave mas enérgica; por isso estava sempre se movendo de um lado para o outro, com agilidade, apesar da gordura dos seus peitos enormes, pernas musculosas e nádegas balouçantes. Agora foi ela que o descobriu, sentado ao lado de um casal de Ayacucho que conversava em quéchua. Veio cumprimentá-lo e dizer que não fosse embora depois do almoço, que ficasse para tomar um matezinho de coca com ela, assim poderiam palestrar um pouco.

Juan Peineta acabara estimando Crecilda — e achava que ela também a ele —, principalmente quando descobriu que tinha passado muitos anos no mundo do espetáculo e que, tal como ele, sua carreira de bailarina terminara por culpa daquele demônio à paisana que era o filhote de satã Rolando Garro. Sentia pena da história de Crecilda porque, tal como ele, a mulher era sozinha no mundo. Tinha um filho, mas este a abandonara fazia muitos anos e não existia mais contato nenhum entre eles; ao que parece o rapaz foi ganhar a vida na selva, o que deixava Crecilda com a pulga atrás da orelha, pensando que talvez estivesse metido em alguma coisa errada, contrabando ou algo pior: o tráfico de drogas. Por outro lado, também lhe dava pena ver como seu rosto ficara deformado depois de uma operação para eliminar as rugas. Ela lhe contou a história, e de fato era tristíssima; uma amiga dela tinha esticado o rosto com um cirurgião, um tal de Pichín Rebolledo, e rejuvenesceu muito. Crecilda se animou a imitá-la; chegou a pedir um empréstimo no banco para pagar adiantado, como o médico exigia. E vejam só como a deixou! Tão inchada e deformada que quase não podia fechar os olhos, porque suas pálpebras tinham encolhido. Todo o rosto, até o começo do pescoço, havia perdido a cor e adquirido uma tonalidade cerúlea, como um tuberculoso ou um cadáver. "Esse cirurgião e Rolando Garro são a tragédia da minha vida", costumava dizer ela, com sagacidade. "E não transei com nenhum dos dois." Não era amargurada nem ressentida, muito pelo contrário, tinha um espírito sempre bem-disposto e sabia enfrentar as adversidades sem perder seu humor chulo e grosseiro. Isso era uma das coisas de Crecilda que mais agradavam a Juan Peineta: ela sabia enfrentar o mau tempo com boa cara e desafiava o infortúnio com suas saborosas gargalhadas.

Quando terminou o primeiro turno do almoço, Crecilda veio buscá-lo e o levou para o pequeno parlatório de onde podia observar tudo o que acontecia no local. Sentaram-se para tomar as duas xícaras de chá que ela já tinha preparado e, enquanto conversavam, Crecilda ficava dando umas espiadas no amplo refeitório para ver se estava tudo em ordem e nada exigia a sua presença.

— E se as freiras descobrissem que você foi bailarina de music hall e gostava da boemia, Crecilda?

— Não aconteceria nada. As freirinhas descalças são muito boa gente — respondeu. — Sabem que tudo isso já é coisa passada e ultrapassada. Que agora vivo minha velhice me comportando como uma santa. Venho à missa e comungo todos os domingos. Não reparou como eu me visto? Não pareço uma freira também?

Parecia. Estava usando uma túnica de tecido rústico que a cobria dos ombros até quase os chinelos.

— Deviam incluir carne no cardápio de vez em quando, Crecilda — disse Juan, saboreando o chá açucarado. — Esse guisado de verduras já conheço até de cor. E olhe que minha memória está uma droga, cada dia esqueço mais coisas.

— Se você soubesse o milagre que é continuar produzindo este almoço, Juanito — ela ergueu os ombros. — Um verdadeiro milagre. Os donativos estão cada vez mais escassos. E com essa história de crise, até as coitadas das freirinhas acabam passando fome porque quase não comem. Não me surpreenderia se fecharem este refeitório a qualquer momento.

— E nesse caso o que você faria, Crecilda?

— Então teria que pedir esmola, Juanito. Porque duvido que consiga outro trabalho. Já passou o tempo em que podia me dedicar à vida devassa.

— Bem, uma possibilidade é casar comigo e vir morar no Hotel Mogollón.

— Acho que prefiro ser mendiga à sua proposta de casamento — riu Crecilda, fazendo um gesto de negação. — Você acha que nós três caberíamos naquela caverninha onde você mora?

— Nós três? — surpreendeu-se Juan.

— Com o seu gato — lembrou ela. — Não me diga que se esqueceu dele também. Chama-se Serafín, não é?

— É, Serafín. Sabe por que acho que ele não me segue quando venho para cá? Tem medo de ser sequestrado pelos vagabundos do bairro para virar cozido de gato.

— Dizem que, bem preparado, é gostoso — admitiu Crecilda. — Mas, digam o que disserem, eu não como gato nem morta. Escute, Juan, mudando de assunto, já viu o último número da *Revelações*?

— Como você há de imaginar, eu não comprei nem nunca comprarei uma revista do sr. Rolando Garro, Crecilda.

— Eu também não, compadre — replicou ela, rindo e negando outra vez com a mão direita. — Mas às vezes leio quando a vejo pendurada nas bancas. Então você não viu o último escândalo. As fotos de um milionário numa orgia incrível, em Chosica. Eu nunca imaginei que se podiam publicar fotos como aquelas. Aparece até fazendo um 69 com uma dona.

— Um 69? — suspirou Juan Peineta. — Sabe que eu nunca fiz isso com a minha Atanasia, Crecilda? Pelo menos não me lembro de ter feito. Nós dois éramos um pouco puritanos, acho.

— Um pouco bobões, diga logo, Juanito — riu Crecilda. — Não sabe o que perderam.

— É, talvez você tenha razão. E quem é esse milionário das fotos? É daqui, um *criollo*?

Ela confirmou:

— Sim, sim, chama-se Enrique Cárdenas e é um minerador milionário, parece. Umas fotos de cair para trás, Juanito. Acho que desta vez aquele anão safado do Garrito foi longe demais. E quem sabe agora tenha que pagar caro por todas as suas maldades.

— Deus lhe ouça, Crecilda — suspirou Juan Peineta. — Tomara que esse minerador contrate um matador de aluguel para acabar com ele. Dizem que agora há uns colombianos muito baratos, que vieram trabalhar no Peru porque está faltando serviço lá na Colômbia. Parece que liquidam uma pessoa por uns dois ou três mil soles, apenas.

— Eu prefiro que ele vá em cana, Juanito. O que ganhamos com sua morte? É preferível que sofra, que pague com anos de prisão todo o mal que fez. A morte não é suficiente para gente como ele. Mas mofar anos e anos numa cela, isto sim é um castigo de verdade.

— É, sim, e que seja torturado — riu Juan Peineta. — Que arranquem as unhas dele, os olhos, que o cozinhem em fogo lento, como faziam os inquisidores com os sacrílegos.

Ficaram ali rindo, imaginando maldades contra Rolando Garro, o responsável por suas respectivas desgraças, até o final do segundo turno do almoço. Crecilda teve que ir cuidar da lavagem dos talheres e da limpeza geral. Juan Peineta despediu-se dela e pensou que na volta para o Hotel Mogollón iria procurar alguma banca com a *Revelações* pendurada, despertara a sua curiosidade o tal milionário nu fazendo o famoso 69 que ele e Atanasia, por pura timidez, nunca tinham praticado. Ou tinham? Não lembrava. Em compensação, lembrava muito bem que Atanasia se recusou a fazer o tal boquete que os homens tanto comentavam. Ele havia sugerido timidamente que sua esposa lhe fizesse. Mas ela, sempre recatada, como julgava recordar, se negava, alegando que seu confessor lhe havia dito que mesmo sendo casados era pecado mortal fazer essas porcarias. E ele, que a amava tanto, se havia resignado? Não tinha muita certeza. Deu uma risadinha: "Você ia morrer sem saber como era essa história de 69 e de minete, Juanito". Ora, por acaso ele e Atanasia não tinham sido tão felizes sem experimentar essas extravagâncias?

Encontrou, de fato, uma banca de jornais exibindo a *Revelações* e teve dificuldade para se aproximar do exemplar da revista pendurado no teto com dois ganchos. Estavam expostas duas páginas: a capa e a página dupla central. Em volta se aglomerava um punhado de gente observando as escandalosas fotografias; alguns se esticavam, tentando ler as legendas e a informação que as fotos ilustravam. Juan Peineta reconheceu a cara daquele figurão que aparecia nu em todas as posições imagináveis, e que bem acompanhado estava! Não chegou a ver a foto do 69. Devia estar em alguma página interna, que pena. Juan Peineta pensou que teria que confessar que passara muito tempo vendo todas aquelas porcarias. Refletiu, assombrado, que provavelmente Crecilda tinha razão. Desta vez Rolando Garro tinha ido longe demais. Aquele era um sujeito importante, um dos grandes magnatas do Peru. Mostrá-lo assim, naquelas posições, com aquelas fêmeas, era demais. Garro ia pagar caro, desta vez não se safaria com facilidade como tantas outras vezes no passado. E de imediato começou a urdir mentalmente a carta que ia escrever assim que chegasse ao Hotel Mogollón.

Voltou ao seu percurso, devagarzinho, sem conseguir tirar da cabeça as imagens da *Revelações*. Quer dizer que essas coisas não só se sonhavam, também se viviam na realidade. Bem, os ricaços, não os pobres. Ele nunca se interessou por esses exotismos. Ou talvez sim, em alguma noite de bebedeira? Também não sabia ao certo. Os esquecimentos eram um problema para ele na hora da confissão. O padre se exasperava: "Não se lembra mais nem sequer dos seus pecados? Veio aqui caçoar de mim?". Talvez não tenha tentado aquelas coisas porque era muito feliz fazendo amor com a pobre Atanasia do jeitinho normal mesmo. Lembrou como a esposa tremia todinha quando faziam amor, e seus olhos ficaram úmidos.

Quando estava a três quadras do Hotel Mogollón, notou que Serafín tinha reaparecido silenciosamente e caminhava coladinho aos seus pés. "Olá, companheiro", disse, alegre por vê-lo. "Quer dizer que pelo menos por hoje você se livrou de ser sequestrado e jogado numa panela para virar cozido de gato. Não se preocupe, enquanto estiver comigo ninguém vai encostar a mão em você, Serafín. Agora, no hotel, vou lhe dar um pouquinho de leite que guardei na garrafa. Tomara que não tenha azedado."

No quarto do Hotel Mogollón, depois de fazer a ponta no seu lapisinho, escreveu uma carta ao "Sr. Rolando Garro, diretor da *Revelações*". Nela o acusava de ter transgredido a privacidade desse minerador degenerado que praticava perversões sexuais com prostitutas e ofendido a honra e a moral dos seus leitores publicando essas imundícies obscenas que, se caíssem nas mãos de crianças e menores de idade, poderiam escandalizá-los e pervertê-los. Sem dúvida havia leis que foram violadas por essas fotos escandalosas e esperava que o procurador-geral interviesse no assunto e mandasse fechar a tal revista e multar e processar seu tortuoso diretor.

Releu a cartinha, assinou e, satisfeito consigo mesmo, foi dormir. Amanhã cedo — se lembrasse — iria enviá-la.

XIII. Uma ausência

A Baixinha sempre preparava sozinha o seu frugal café da manhã diário — café com leite e um biscoito de maisena —, mas hoje, não sabia por quê, teve o impulso de tomá-lo num bar de Cinco Esquinas localizado em frente ao ponto do ônibus que a levava, toda manhã, depois de meia hora ou quarenta e cinco minutos de sacolejos e apertões, pela longuíssima avenida Grau, o Zanjón e a Panamericana, até Surquillo, perto da revista. No bar não tinham biscoito de maisena e então pediu, junto com o café com leite, uma bolacha qualquer e trouxeram uma chancay. Lamentou ter ido: o bar estava sujo e tisnado, e o garçom que a atendeu, um manquinho cheio de remelas, tinha unhas negras e enormes.

Mas o bom tempo melhorou o seu ânimo. Apesar de ser pleno inverno, nessa manhã havia uma luminosidade em Lima que parecia anunciar o sol. "O céu também comemora o nosso sucesso", pensou. Porque havia sido um sucesso clamoroso a edição da revista com as fotos do engenheiro Enrique Cárdenas, anunciadas na primeira página por uma grande manchete em letras vermelhas e pretas que sobrevoava a espetacular imagem: "Magnata nu fazendo porcaria!". Três reimpressões seguidas num dia só! Na noite anterior, eufórico, Rolando Garro ainda negociava com a gráfica uma quarta, nem que fosse de apenas mais um milhar de exemplares.

O que ia acontecer agora?, perguntou ela ao chefe, quando o desmentido dos advogados do engenheiro Enrique Cárdenas chegou à redação, negando, claro, que fosse ele quem aparecia nas fotos e acusando-os de injúria e calúnia. Pelo visto, tinham apresentado uma liminar pedindo o recolhimento do número com a matéria.

— Como, o que vai acontecer? — perguntou Rolando Garro, dando de ombros. E ele mesmo respondeu, soltando uma das suas risadinhas sarcásticas: — Nada, Baixinha. Por acaso acontece alguma coisa em Lima quando surge um escândalo? Quem dera que acontecesse, quem dera que um juiz mandasse fechar a *Revelações*. Nós lançaríamos um novo semanário chamado, por exemplo, *Denúncias* e venderíamos o mesmo número de exemplares que esta semana.

A Baixinha pensou que a tranquilidade do seu chefe era fingida. Porque desta vez o objeto do escândalo não era uma modelo, uma dançarina, um ator ou alguém dessa pobre turma do mundo artístico, como o idiota do Juan Peineta e sua birra com Rolando Garro, que não podiam prejudicá-los muito por mais que tentassem e, como o ex-piadista, dedicassem a vida a esse propósito inútil. O engenheiro Enrique Cárdenas, empresário importante, rico, poderoso, não ia ficar quietinho depois de uma edição em que aparecia nu entre os peitos e bundas de umas meretrizes. Ia se vingar e, com algum esforço, ele sim podia conseguir que fechassem o semanário. Enfim, depois se veria, mas ela não achava graça nenhuma na ideia de ficar sem trabalho da noite para o dia. Rolando Garro parecia tão seguro que, vai ver, como nas outras revelações que tinham feito, desta vez também não haveria consequências. Afinal, no que deram as fotos do pobre Ceferino Argüello: em vez de torná-los todo-poderosos, como pensava Rolando, eram só mais um escândalo da *Revelações*.

Pagou seu parco café da manhã e subiu no ônibus; não estava tão cheio, conseguiu até se sentar. Levou quarenta e cinco minutos para chegar ao ponto da Panamericana, em Surquillo, a poucas quadras da rua Dante. Estava andando para o escritório quando Ceferino Argüello, o fotógrafo da revista, se aproximou dela. Seu corpinho esquelético estava embalado, como sempre, num jeans e uma camisa polo bastante suja, amassada e aberta no peito. Sua cara estava mais assustada que de costume.

— O que foi, Ceferino? Por que essa carinha, quem foi que morreu desta vez?

— Vamos tomar alguma coisa, Julieta? — O fotógrafo, muito alterado, não deu a menor atenção à pergunta. — Eu pago.

— É que tenho uma reunião com o chefe — disse ela. — E estou um pouco atrasada.

— O sr. Garro ainda não chegou — insistiu ele, quase implorando. — É só um instantinho, Julieta. Por favor, estou pedindo como colega e como amigo de tanto tempo. Não me faça essa desfeita.

Ela aceitou e foram para o barzinho ao lado da redação, La Delicia Criolla, onde os jornalistas da revista costumavam tomar café e, nos dias de fechamento, almoçar um sanduíche com uma Inca Kola. Pediram dois refrigerantes.

— O que há com você, Ceferino? — perguntou a Baixinha. — Conte lá as suas mágoas. Não devem ser de amor, imagino.

Ceferino Argüello não queria saber de brincadeira; estava sério e havia muita apreensão nos seus olhos escuros.

— Estou me cagando de medo, Julieta — falava bem baixinho para que ninguém ouvisse, o que era absurdo, ninguém podia ouvir porque naquele momento eles eram os únicos fregueses no La Delicia Criolla. — Esta história está indo longe demais, não acha? Ontem à noite todos os canais abriram seus noticiários com as fotos da revista. Hoje de manhã, as rádios e televisões só falavam no caso.

— O que mais você quer, bobão, finalmente está ficando famoso, como todos nós, aliás, graças a este número da revista — caçoou ela. — Há muito tempo não fazemos tanto sucesso com uma revelação. Agora, sim, podemos ter certeza de que vamos receber o salário completo no fim de mês.

— Não é para fazer piada — censurou Ceferino. Após uma pausa, olhou em volta e prosseguiu em voz tão baixa que era quase um sussurro. — Esse Cárdenas é um cara muito importante, se ele decidir se vingar pode nos foder. Não esqueça que você também assina a reportagem, Baixinha.

— Por outro lado, seu nome não figura em lugar nenhum, Ceferino, portanto fique calmo — disse ela, tentando se levantar. — Pague logo e vamos embora de uma vez. E, faça-me o favor, deixe de ser mariquinha. Fica assustado por qualquer coisa.

— Não figuro na matéria, mas fui eu que tirei aquelas fotos, Julieta — insistiu ele; sua expressão angustiada era quase cômica. — E no expediente da revista apareço como o único fotógrafo. Posso me meter numa baita confusão. O sr. Garro devia ter me consultado antes de fazer o que fez com minhas fotos.

— A culpa é sua, Ceferino, você arranjou isso sozinho — atacou a Baixinha. Mas sentiu pena do terror que viu nos olhos dele e sorriu: — Ninguém vai saber que foi você que tirou as fotos. Deixe de bobagem, não pense mais nisso.

— Então jure que não contou a ninguém que fui eu que tirei, Julieta. E que nunca vai contar.

— Juro tudo o que você quiser, Ceferino. Esqueça o assunto. Ninguém vai saber, não vai acontecer nada com você. Não se preocupe.

O fotógrafo, ainda com o rosto atormentado, pagou, e saíram do bar. Rolando Garro ainda não havia chegado à revista. Enquanto o esperavam, a Baixinha se distraiu folheando todos os jornais do dia. Caramba, que confusão! Havia referências ao escândalo em toda a imprensa, sem exceção, dos jornais sérios aos sensacionalistas. A Baixinha riu sozinha: naquele momento o engenheiro devia estar se sentindo como uma escarradeira pública. Quando acabou de ver os jornais, já eram onze da manhã. Estranho que Rolando Garro não tivesse aparecido nem telefonado para explicar o atraso. Ligou para o celular dele e estava desligado. Teria perdido a hora? Era estranho, o chefe nunca faltava a um compromisso sem se desculpar, mesmo que fosse com seus redatores. A Baixinha olhou ao redor; havia um estranho silêncio na redação; ninguém digitava no teclado, ninguém falava. Estrellita Santibáñez olhava para a sua mesa como que hipnotizada; o velho Pepín Sotillos mantinha a ponta do cigarro pendurada entre os lábios como se houvesse esquecido que estava fumando; Lizbeth Carneiro, desviada das estrelas, roía as unhas sem disfarçar sua preocupação. Lá em cima, numa das janelas teatinas, havia pousado um urubu que parecia observá-los, com seu olhar turvo, como uns bichos esquisitos. Todos na expectativa, olhando para ela, muito sérios, sem esconder o desânimo. O pobre Ceferino Argüello parecia prestes a subir no cadafalso.

Pouco depois chegou um mensageiro do Juizado do centro de Lima, com as notificações das duas ações judiciais iniciadas contra a revista, devido à edição dessa semana. Uma do escritório de advocacia Luciano Casasbellas, representante do engenheiro Enrique Cárdenas, e a outra de uma associação religiosa, Os Bons Hábitos, que os acusava de "obscenidade e corrupção públicas da puerícia". Julieta deixou as notificações na escrivaninha de Rolando Garro que, como constatou, estava maniacamente arrumada como sempre. Voltou à própria mesa, para rever sua caderneta de anotações. Fez uma lista dos assuntos que podiam servir para pesquisar com vistas a um artigo e começou a tomar notas, navegando na rede, sobre um caso de tráfico de meninos e meninas em Puno, perto da fronteira com a Bolívia. Havia denúncias de que uma quadrilha de delinquentes sequestrava crianças nascidas em comunidades indígenas bolivianas e as vendia na fronteira a mafiosos peruanos e estes, por sua vez, as revendiam a casais, geralmente estrangeiros, que não podiam ter filhos e não queriam esperar os muitos anos que duravam os procedimentos para uma adoção legal no Peru. Por volta de uma da tarde levantou a cabeça do computador porque percebeu que em torno da sua mesa estava reunida a redação inteira: os três jornalistas, os dois farejadores de notícias e, claro, o fotógrafo da *Revelações*. Todos com caras graves. Ceferino, muito pálido, respirava ofegante.

— Já passou a hora da distribuição das tarefas, que era meio-dia — disse Pepín Sotillos, o mais velho dos jornalistas do semanário, mostrando o relógio. — E já passou de uma hora também.

— É estranho, sim, concordo — assentiu a Baixinha. — Eu tinha uma reunião com ele às onze. Ninguém falou com o chefe esta manhã?

Não, ninguém. Sotillos havia ligado várias vezes para o celular dele, mas estava desligado. A Baixinha viu as caras fechadas, inquietas, dos seus colegas de trabalho. Era muito estranho, de fato. O chefe podia ter muitos defeitos, mas não o da falta de pontualidade; era maníaco por chegar sempre na hora, até antes da hora. Sobretudo à reunião em que eles planejavam o trabalho da semana. Julieta decidiu mobilizar imediatamente toda a redação. Encarregou Sotillos de telefonar para os hospitais e clínicas perguntando se não houvera algum acidente, e Estrellita Santibáñez e Lizbeth Carneiro, redatora do horóscopo e conselheira de assuntos sexuais e românticos, de descobrirem nas delegacias de polícia se não havia acontecido alguma ocorrência que pudesse ter como vítima o sr. Rolando Garro.

Quanto a ela, ia dar um pulo até o endereço do chefe que figurava na agenda, em Chorrillos.

Já na rua, ia pegar um táxi, mas olhou em sua carteira e pensou que o pouco dinheiro que tinha talvez não desse para ir e voltar, e então decidiu esperar o ônibus. Levou cerca de uma hora para chegar à pequena casa na rua José Olaya, onde morava o diretor da *Revelações*. Era um velho rancho de Chorrillos do século passado, uma espécie de cubo de cimento e madeira, com uma ampla grade entre a porta e a calçada. Tocou a campainha por um bom tempo, mas ninguém atendeu. Por fim, decidiu indagar nas casas vizinhas se alguém o tinha visto. Essa busca foi infrutífera. A casa da esquerda estava vazia; na da direita, a porta demorou muitíssimo a abrir. A senhora que empurrou uma janelinha disse que não sabia sequer que seu vizinho se chamava Rolando Garro. Quando a Baixinha voltou para a revista já eram duas e meia da tarde. Ninguém havia conseguido nada. A única certeza que tinham era de que nem nos hospitais e clínicas, nem nas delegacias de polícia havia qualquer registro de que o chefe tivesse sofrido um acidente.

Ficaram trocando ideias por algum tempo, confusos, sem saber o que fazer. Por fim, decidiram voltar para suas casas e reencontrar-se às quatro da tarde, quem sabe a essa altura já havia alguma notícia do diretor.

A Baixinha tinha dado poucos passos em direção ao ponto do ônibus quando sentiu alguém pegando em seu braço. Era o fotógrafo. Ceferino estava tão nervoso que mal conseguia falar:

— Eu sempre soube que era perigoso, que essa reportagem podia nos dar muitos problemas — disse, atropeladamente. — O que você acha que aconteceu, Julieta? Será que o chefe está preso? Será que lhe fizeram alguma coisa?

— Ainda nem sabemos se houve algo — respondeu, furiosa. — Não podemos nos adiantar. Pode ser que de repente tenha aparecido qualquer coisa urgente, ou um programinha, uma farra, sei lá. Tenha um pouco de paciência, Ceferino. Vamos ver esta tarde. Quem sabe ele aparece e esclarece tudo. Não se adiante e, acima de tudo, não fique perturbado assim. Você vai ter tempo para se assustar depois. Agora me largue, por favor. Estou cansada e quero ir para casa. Preciso pensar com calma e descansar um pouco. Tenho que estar de cabeça bem fria para o que der e vier.

O fotógrafo soltou-a, mas ainda murmurou quando ela já estava indo:

— Isso está me cheirando muito mal, Julieta. O desaparecimento dele indica que a coisa é grave.

"Covarde de merda", pensou ela, sem responder. Quando chegou à sua casa, em Cinco Esquinas, uma hora depois, caiu na cama em vez de preparar alguma coisa para comer. Ela também estava alarmada, mas tinha disfarçado bem na frente de Ceferino e da equipe da revista. Rolando Garro não sumia assim de repente, sem nenhum aviso, muito menos no dia em que se distribuíam as tarefas para a semana e se discutiam as matérias da próxima edição. Será que esse desaparecimento tinha relação com a reportagem sobre o engenheiro Cárdenas? Se fosse mesmo um desaparecimento, era mais que provável, era certo que sim. Agora estava muito cansada. Não era a azáfama da manhã, mas a preocupação, o receio, as suspeitas quanto ao que acontecera com o chefe que a deixavam tonta de fadiga.

Quando acordou e olhou o relógio, eram quatro da tarde. Tinha dormido quase uma hora. Era a primeira vez na vida que fazia uma sesta. Lavou o rosto e voltou para o escritório da *Revelações*. Todos os seus colegas estavam lá, de cara amarrada. Ninguém tinha qualquer notícia de Rolando Garro.

— Vamos à delegacia registrar uma ocorrência — decidiu a Baixinha. — Aconteceu alguma coisa com o chefe, agora não há mais dúvida. A polícia tem que procurá-lo, então.

A redação da *Revelações* se deslocou em peso para a delegacia de Surquillo, que ficava a um passo da sede da revista, na mesma rua Dante. Pediram a presença do delegado. Este os deixou esperando em pé, no patiozinho da entrada, ao lado de uma grande estátua da Virgem, por cerca de meia hora. Por fim, chamou-os ao seu gabinete. Foi o velho Sotillos quem lhe explicou que estavam muito preocupados porque o sr. Rolando Garro, seu chefe, tinha desaparecido fazia vinte e quatro horas; não havia antecedentes de sumir assim, sem dizer uma palavra, justamente no dia da reunião com todos os jornalistas para distribuir as tarefas da semana. O bigodudo delegado, um coronel da polícia que parecia muito cheio de si, mandou fazer um boletim que todos assinaram. Prometeu que ia começar a investigação imediatamente; avisaria a eles assim que tivesse alguma informação.

Quando saíram da delegacia, temendo que o coronel bigodudo não fizesse nada, decidiram falar com o advogado da revista. Tanto Sotillos como a Baixinha conheciam o dr. Julius Arispe. Já eram quase sete da noite, mas este os recebeu prontamente em seu escritório, na avenida España. Era um homem gentil, que apertou a mão de todos. De vez em quando tocava no nariz, como se estivesse espantando uma mosca. Ouviu com atenção os argumentos da Baixinha e disse que sim, o caso era mesmo alarmante, principalmente tratando-se de um jornalista de prestígio como o sr. Garro; ele iria avisar o senhor ministro do Interior que, aliás, era seu amigo pessoal.

Ao saírem do escritório já era noite. O que mais podiam fazer? A essa hora, mais nada. Combinaram um encontro no dia seguinte às dez da manhã, na sede da *Revelações*. Despediram-se, e a Baixinha sentiu que Ceferino Argüello estava se aproximando para falar a sós com ela. Parou-o de forma cortante:

— Agora não, Ceferino — disse, com uma voz dura. — Eu sei que está morrendo de medo. E também sei que você acha que o desaparecimento do chefe tem a ver com suas fotos da bacanal de Chosica. Eu também estou preocupada e assustada. Mas por enquanto não há mais o que falar sobre o assunto. Nenhuma palavra, até sabermos o que houve com o sr. Garro. Entendido, Ceferino? Estou muito nervosa, não me perturbe mais, por favor. Amanhã nos vemos.

Afastou-se e, lembrando que não tinha comido nada durante o dia, quando chegou a Cinco Esquinas sentou-se no mesmo boteco imundo onde tomara o café naquela manhã. Mas, antes de pedir, se levantou e continuou andando até sua casa. Para que pedir, se não tinha um pingo de fome? Na certa ia se engasgar com qualquer coisa que pusesse na boca. Andava depressa pelo largo Junín porque havia escurecido e já era a hora da compra e venda de drogas, da prostituição e dos assaltos no bairro. Quando passou ao lado de uma grade, um cachorro começou a latir e lhe deu um grande susto.

Em casa, ligou a televisão e ficou passando de canal em canal para ver se os noticiários diziam alguma coisa sobre seu chefe. Nem uma palavra. Depois de desligar, ficou sentada na salinha, iluminada por uma lâmpada única de luz rançosa, entre as pilhas de jornais e revistas que lotavam o aposento. O que podia ter acontecido com ele? Uma teia de aranha prateada pendia do teto, sobre sua cabeça. Um sequestro? Difícil. Rolando Garro não tinha um centavo, que dinheiro podiam querer? Uma chantagem dos terroristas? Improvável, a revista não se metia em política, embora às vezes fizesse revelações pessoais sobre políticos. Seria verdade que o diretor agia por encomenda do Doutor, o chefe do Serviço de Inteligência de Fujimori? Esse boato corria fazia algum tempo, mas a Baixinha nunca se atreveu a perguntar uma coisa tão delicada a Rolando Garro. Se o Sendero Luminoso ou o MRTA quisessem um jornalista, teriam raptado o diretor do *El Comercio*, de um canal de televisão, da RPP, não o dono de uma publicação pequena como a *Revelações*.

Estava ali, na penumbra, sem ânimo para ir se deitar, quando, um minuto ou uma hora depois — não tinha ideia de quanto tempo havia passado —, ouviu que batiam à porta. Com o susto, deu um pulinho na cadeira, sentindo as mãos molhadas de suor. Voltaram a bater, agora de forma peremptória.

— Quem é? — perguntou, sem abrir.

— Polícia — disse uma voz masculina. — Estamos procurando a srta. Julieta Leguizamón. É a senhorita?

— O que querem com ela? — perguntou. Seu coração começou a bater mais rápido.

— Somos do Ministério do Interior, senhorita — replicou a mesma voz. — Abra, por favor, eu lhe explico. Não precisa ter medo de nada.

Abriu a porta com muito receio e viu, lá fora, um homem fardado ao lado de outro à paisana. Ao longe, depois das casinhas do beco, já na rua, havia um carro da polícia com todas as luzes acesas.

— Capitão Félix Madueño, às suas ordens — disse o oficial levando a mão ao quepe. — A senhora é a jornalista Julieta Leguizamón?

— Sim, sou eu — confirmou, tentando controlar a voz. — O que deseja?
— Vai ter que nos acompanhar para fazer um reconhecimento — disse o capitão. — Desculpe incomodar a esta hora, senhorita. Mas é muito urgente.
— Um reconhecimento? — perguntou.
— Vocês deram queixa esta tarde na delegacia de Surquillo do desaparecimento do sr. Rolando Garro, diretor da *Revelações*. Não foi isso?
— Foi, sim, o nosso chefe — disse a Baixinha. — Há notícias dele?
— Pode ser — insinuou o capitão. — É por isso que precisamos fazer o reconhecimento. Não vai levar muito tempo. Depois nós a trazemos de volta à sua casa, não se preocupe.
Só quando já estava sentada no banco traseiro do carro e este arrancou em direção à avenida Grau, a Baixinha teve coragem de perguntar o que já desconfiava:
— Para onde vamos, capitão?
— Para o necrotério, senhorita.
Ela não disse mais nada. Sentiu falta de ar, abriu a boca e tentou encher os pulmões com a brisa fresca que entrava pela janela entreaberta. Fizeram todo o trajeto por ruas escuras, até que afinal ela reconheceu a avenida Grau, na altura do Hospital Dois de Maio. Estava meio enjoada, com uma sensação de sufoco; teve medo de desmaiar a qualquer momento. Às vezes fechava os olhos e, como fazia quando tinha insônia, contava números. Quase não percebeu que o carro tinha parado; notou vagamente que o capitão Félix Madueño a ajudava a descer e, segurando seu braço, a guiava por uns corredores úmidos e lúgubres, com paredes cheirando a cresol e a remédios, um odor que lhe dava náuseas obrigando-a a reprimir suas ânsias de vômito. Por fim, entraram num lugar profusamente iluminado, onde havia muitas pessoas, todos homens, alguns deles com jalecos brancos e máscaras. Suas pernas estavam tremendo, ela sabia que se o capitão Madueño a soltasse despencaria no chão.
— Por aqui, por aqui — disse alguém, e então se sentiu levada, empurrada, sustentada por homens cujos rostos a examinavam com uma mistura de insolência, compaixão e zombaria.

— Está reconhecendo? É Rolando Garro? — perguntou outra voz, que a Baixinha não tinha ouvido até então.

Era uma espécie de mesa, ou uma tábua sobre dois cavaletes, iluminada com um refletor de luz muito branca; a silhueta do sujeito que estava diante dos seus olhos tinha manchas de sangue e de lama ressecada em todo o corpo.

— Sabemos que é difícil para a senhora porque, como vai ver, destroçaram o rosto dele a pedradas ou a pontapés. Consegue reconhecer? É a pessoa que pensamos? É o jornalista Rolando Garro?

Ela estava totalmente paralisada, não conseguia se mexer, nem emitir uma palavra, nem sequer afirmar com a cabeça, os olhos cravados naquela silhueta enlameada, sangrenta e fétida.

— Claro que reconheceu, claro que é ele — ouviu o capitão Félix Madueño dizendo. — Mas, doutor, seria bom dar um calmante ou algo assim à senhorita. Vê como ela ficou? Parece que vai desmaiar a qualquer instante.

xiv. Desarranjos e arranjos conjugais

— Deixa eu voltar para casa, amor — implorou Quique; tinha a voz embargada e o rosto desfeito. Marisa notou que, naqueles poucos dias, seu marido havia perdido vários quilos. Estava sem gravata, a camisa meio amarrotada. — Por favor, Marisa, estou lhe pedindo de joelhos.

— Aceitei que você viesse aqui para falar de coisas práticas — respondeu ela, secamente. — Mas se vai ficar insistindo nesse assunto que já está mais do que encerrado, é melhor ir embora.

Estavam na salinha ao lado da varanda onde eles costumavam, antes, tomar café da manhã. Começava a escurecer. Lima era uma mancha sombria e uma miríade de luzinhas que se perdiam ao longe, dissolvidas na neblina incipiente. Quique tinha à sua frente, na mesinha de vidro, um copo de água mineral pela metade.

— Claro que vamos falar de coisas práticas, gringuinha — assentiu ele, entre magoado e choroso. — Mas não posso continuar morando na casa da minha mãe, com todas as minhas coisas aqui. Reconsidere, por favor, eu lhe peço.

— Leve de uma vez suas coisas para a casa da sua mãe, Quique — levantou a voz Marisa; falava com muita determinação, sem hesitar um segundo, olhando-o fixamente nos olhos, sem piscar. — Para esta casa você não volta, pelo menos enquanto eu morar aqui. Vá se acostumando de uma vez com a ideia. Porque nunca vou perdoar a canalhice que você me fez. Eu já lhe disse. Quero me separar de você. Já me separei de você…

— Eu não fiz nada, não sou aquele das fotos, você tem que acreditar em mim — suplicou ele. — Fui vítima de uma calúnia monstruosa, Marisa. Não é possível que você, minha mulher, em vez de me ajudar, apoie meus inimigos e dê razão a eles.

— É você, sim, não seja mentiroso, não seja cínico, Quique — interrompeu Marisa, com um olhar que relampejava. Estava com uma blusinha muito decotada, mostrando os ombros e um despontar dos peitos, a pele muito branca, o cabelo louro solto para trás, sandálias recortadas que deixavam à mostra seus pés. — Tudo bem que, por questões legais, você negue que é aquele das fotos. Mas comigo não cola, filhinho. Já esqueceu quantas vezes na vida eu já vi você pelado? É você mesmo, fazendo aquelas porcarias, e ainda por cima se deixando fotografar naquelas posições horríveis com umas rameiras asquerosas. Você é a piada do dia em toda Lima, e eu também, por sua culpa. A cornuda mais famosa do Peru, como diz a *Revelações*. Sabe como meus pais e meus irmãos estão se sentindo depois de tudo o que você me fez passar nesses dias?

Enrique bebeu um golinho de água mineral do copo. Tentou pegar a bem cuidada mão de sua mulher, mas esta a tirou, fazendo uma careta de desagrado.

— Eu nunca vou me separar, porque gosto de você, meu amor — suplicou ele, quase choramingando. — Sempre gostei, Marisa. Você é a única mulher que amei. E vou reconquistar o seu amor, fazendo o que for preciso, juro. Você acha que não lamento no fundo da alma estarmos envolvidos neste escândalo? Você acha que...?

O toque do celular no seu bolso interrompeu o que estava dizendo. Pegou-o e viu que era Luciano.

— Desculpe, gringuinha — disse à sua mulher. — É Luciano, pode ser alguma coisa urgente. Alô? Sim, Luciano, pode falar, estou aqui, com Marisa. Sim, claro que pode falar. Alguma novidade?

Marisa viu que o marido, à medida que ouvia o que Luciano lhe dizia ao telefone, ia ficando mais pálido, seu rosto se transformava, abria a boca e um fio de saliva escorria pela comissura dos lábios sem ele perceber, sem se limpar. O que havia acontecido para deixar Quique assim? Estava piscando sem parar, com uma expressão de idiota. Luciano também devia ter notado que algo estranho estava acontecendo com Enrique, porque Marisa ouviu o marido murmurar em dois momentos "sim, sim, estou escutando". Depois ouviu que se despedia com um fio de voz: "Sim, Luciano, vou para aí agora mesmo". Mas, em vez de se levantar, Quique, branco como neve, continuou sentado na poltrona, à sua frente, com o olhar perdido, balbuciando: "Não é possível, meu Deus, não é possível, ainda por cima isso".

Marisa se assustou.

— O que foi, Quique? O que disse o Luciano? — perguntou. — Mais problemas?

Enrique olhou para ela como se só naquele instante descobrisse que ela estava ali, sentada à sua frente, ou como se não a estivesse reconhecendo.

— Assassinaram Rolando Garro — ouviu-o dizer com uma voz de além-túmulo. Seus olhos estavam alucinados, parecia um louco. — Com uma ferocidade horrível, aparentemente. Não sei quantas punhaladas e, ainda por cima, destroçaram seu rosto com pedradas. Acabaram de encontrar o cadáver jogado na rua, em Cinco Esquinas. Você entende o que isso significa, Marisa?

Tentou se levantar, mas escorregou; tentou se segurar no encosto da poltrona, mas não conseguiu e desmoronou, caindo primeiro de joelhos e depois estendido ao longo do tapete da salinha. Quando Marisa se agachou para ajudá-lo, viu que Quique estava de olhos fechados, com a testa molhada de suor e a boca cheia de espuma. Tiritando.

— Quique, Quique! — gritou, segurando seu rosto, sacudindo. — O que você tem? O que houve?

Estava falando muito alto e Quintanilla, o mordomo, e a empregada vieram correndo para a salinha.

— Ajudem a levantá-lo — ordenou. — Vamos deitá-lo no sofá. Devagarzinho, para não machucá-lo. Temos que chamar o dr. Saldaña. Rápido, rápido, procurem o número dele na caderneta de telefones, por favor.

Os três o levantaram e, quando o mordomo e a empregada estavam aplicando uma toalhinha molhada em sua testa e Marisa tentando localizar o dr. Saldaña pelo telefone, Quique entreabriu os olhos, aturdido. "O que foi, o que foi?", perguntou, com a voz ainda travada. Marisa soltou o telefone, correu para o sofá e abraçou o marido. Estava pálida e lacrimosa.

— Ai, Quique, que susto — disse —, você desmaiou, pensei que estivesse morrendo, já ia ligar para o dr. Saldaña. Quer que eu chame uma ambulância?

— Não, não, já estou melhor — balbuciou ele, pegando a mão da mulher e beijando-a. E a conservou junto aos lábios enquanto dizia: — Foi a tensão de todos esses dias, amor. E, agora, essa notícia terrível.

— Não tem nada de terrível, é uma notícia para se comemorar — exclamou Marisa; tinha entregado sua mão à mão do marido e deixava que ele continuasse beijando-a. — Que importância tem a morte do desgraçado que nos meteu nesta confusão, o diretor dessa revista imunda. Bem-feito se o mataram.

— De você, eu gosto, de você, eu necessito, meu amor — disse ele, levantando a cabeça e procurando o rosto de Marisa para beijá-la. — Não se deve desejar a morte de ninguém, amor. Nem mesmo desse bandido. Mas imagine o que esse assassinato significa para mim. Para começar, vai ressuscitar o maldito escândalo.

— Como está se sentindo? — perguntou ela, tocando-lhe a testa; a fúria tinha se eclipsado do seu rosto; agora olhava para o marido com um misto de preocupação. — Não, não está com nada de febre.

— Já me sinto melhor — respondeu ele, levantando-se. — Luciano está me esperando no escritório, tenho que ir.

— Arrume-se um pouco, Quique — disse ela, alisando sua camisa com as mãos. — Ficou todo despenteado com a queda. E sua camisa e seu terno estão uma vergonha, tudo amarrotado.

— Você ficou preocupada — disse ele, acariciando-lhe o cabelo e sacudindo um pouco o paletó, a calça. — Ficou sim, não me diga que não, amor. E se assustou quando eu desmaiei. O que significa que ainda me ama um pouquinho, não é, gringuinha?

— Claro que me preocupei — concedeu Marisa, fingindo uma severidade que não existia mais. — Mas não amo coisa nenhuma. Você me decepcionou para sempre. E eu nunca vou perdoá-lo.

Falou isso de uma forma tão mecânica, tão pouco convincente, que Quique se atreveu a pegá-la pela cintura e puxá-la para si. Marisa não resistiu muito. Ele encostou a boca em seu ouvido. Vendo o que estava ocorrendo, Quintanilla e a empregada, trocando um olhar, optaram por retirar-se.

— Vou ao escritório de Luciano para conversar sobre esse assunto diabólico — sussurrou ele, beijando e mordiscando sua orelha. — E depois volto para fazer amor com você. Porque você está muito bonita, nunca senti tanto desejo de tê-la nua nos meus braços como neste momento, gringuinha.

Procurou seus lábios, e sua mulher deixou-o beijá-la, mas não lhe devolveu o beijo e conservou os lábios fechados enquanto era beijada.

— Vai fazer comigo as mesmas porcarias que fazia com aquelas putas nas fotos? — disse Marisa, enquanto o acompanhava até a porta.

— Vamos fazer amor a noite toda, porque com certeza nunca vi você tão bonita como hoje — sussurrou ele, abrindo a porta. — Volto agorinha mesmo, não caia no sono, pelo amor de Deus.

Viera com o chofer — desde o escândalo da *Revelações* não tinha voltado a dirigir — e mandou que este o levasse ao escritório de Luciano. Pensou que, graças a essa tragédia, pelo menos ia poder voltar para o seu apartamento no Golfe, para a sua cama, para a sua casa e para as suas coisas. E a fazer amor com Marisa. Não era fingimento o que tinha acabado de dizer à mulher. Era verdade; a gringuinha estava mais bonita com a crise; enquanto estavam discutindo, de repente sentiu desejo por ela e agora, com toda certeza, de noite voltaria a gozar com Marisa como nas melhores épocas. Havia quanto tempo não faziam amor? Pelo menos três semanas, desde o horrível dia em que Rolando Garro levou aquelas fotografias ao seu escritório. E agora o sujeitinho estava morto, assassinado dessa forma atroz nos Bairros Altos. O que sucederia? De qualquer maneira, o escândalo ia ressurgir e ele voltaria para as primeiras páginas dos jornais, as rádios e as televisões. Sentiu um calafrio: de novo aquele banho de publicidade nojenta, de insinuações repugnantes, de precisar tomar cuidado com o que dizia, aonde ia, quem via, para escapar da maldita curiosidade mórbida do povo.

— Finalmente fez as pazes com a Marisa? — perguntou Luciano ao recebê-lo no escritório. — Pelo menos já deixa você entrar em casa de novo.

— É, pelo menos nisso tenho feito progressos — assentiu Quique. — Que história é essa do assassinato de Garro? Já sabem quem foi? Por que o mataram?

Luciano havia recebido um telefonema do próprio Doutor, com quem já tivera duas reuniões relativas ao escândalo das fotografias e da tentativa de chantagem de Garro.

— Ligou para me dizer que o encontraram morto a facadas e com o rosto destroçado num lixão de Cinco Esquinas, lá nos Bairros Altos, na porta de uma casa de jogatina — explicou Luciano. — A polícia ainda não se manifestou. Ele queria me avisar que, por causa disso, é inevitável que agora recrudesça o caso que estávamos tentando enterrar. Sinto muito, mas temo que vá ser assim mesmo, Quique.

— Já informaram o assassinato de Garro?

— Ainda não, mas, segundo o Doutor, a polícia ia divulgar agora mesmo, numa coletiva. A notícia vai estar em todos os telejornais da noite. Você não deve fazer nenhuma declaração sobre o assunto. E evite, de qualquer maneira, que relacionem essa morte com o escândalo. Mesmo sabendo que, obviamente, vão relacionar.

Luciano ficou em silêncio, olhando para Quique de um jeito que este achou estranho, esquadrinhando-o com uma expressão grave e desconfiada. Será que o chefe do Serviço de Inteligência lhe dissera mais alguma coisa e seu amigo estava escondendo dele?

— O que houve, Luciano? Posso saber por que está me olhando desse jeito?

O advogado se aproximou, pegou em seus dois braços e por um instante o encarou em silêncio, muito sério; seus olhinhos um pouco puxados revelavam preocupação, dúvidas.

— Vou lhe fazer uma pergunta, Quique, e preciso que você seja absolutamente sincero comigo. — Deu duas palmadinhas nos seus braços, afetuoso. — Não estou pedindo como seu advogado. E sim em nome de todos os anos de amizade que temos.

— Não acredito que você vai me perguntar o que estou pensando, Luciano — murmurou ele, horrorizado.

— Ainda assim vou perguntar, Quique — insistiu Luciano. — Você tem algo a ver com isso?

Quique teve uma vertigem e pensou que ia perder os sentidos de novo. Sentiu uma forte pressão no peito, tudo à sua volta tinha perdido nitidez e começava a oscilar. Apoiou-se na beira da escrivaninha.

— Será possível — balbuciou. — Não pode ser, Luciano. Você está me perguntando se eu matei aquele verme? Se mandei matar? Está me perguntando isso? Você me acha capaz de uma coisa dessas?

— Responda, Quique. — Luciano continuava com as mãos em seus ombros. — Simplesmente me diga que não tem nada a ver com o assassinato de Rolando Garro.

— Claro que não tenho absolutamente nada a ver com esse assassinato, Luciano! Não é possível que você, que me conhece a vida toda, me considere capaz de matar alguém, de mandar matar alguém.

— Está bem, Quique — respirou Luciano, aliviado. Ensaiou um sorriso. — Acredito em você, claro que acredito. Mas queria ouvir dos seus lábios.

Luciano soltou os braços do amigo e apontou para uma das poltronas do escritório, embaixo das gravuras inglesas e das prateleiras de livros encadernados em couro.

— Preciso saber com todos os detalhes o que você fez nas últimas quarenta e oito horas, Quique.

Luciano continuava sério, falando com muita calma e tinha nas mãos um caderninho e uma caneta. Havia recuperado a serenidade e a calma costumeiras; ao contrário de Quique, todo desarrumado, estava com a camisa de listras vermelhas e brancas perfeitamente passada, uma gravata bordô, sapatos mais lustrosos que espelho. As abotoaduras da camisa eram de prata.

— Mas por quê, Luciano, quer me dizer de uma vez o que está acontecendo? — Agora Quique estava assustado.

— Acontece, Quique, que você é o primeiro suspeito desse crime — disse o amigo, muito calmo, falando novamente com a voz afetuosa de sempre, tirando os óculos e segurando-os no ar. — Como não percebe? Garro envolveu você nesse escândalo maiúsculo, que repercutiu até no estrangeiro. Arruinou sua vida, de certa forma.

Destruiu seu casamento, seu nome, seu prestígio etc. Agora todas as revistas de escândalo e de fofoca vão cair em cima de novo, dizendo que você pagou um bandido para executar sua vingança. Dá para entender?

Aturdido, idiotizado, Enrique ouvia isso e tinha a sensação de que Luciano estava falando de outra pessoa, não dele.

— Eu preciso que você se sente ali, na minha mesa, agora mesmo, e me faça uma lista, a mais detalhada possível, das pessoas que viu, dos lugares onde esteve nestas últimas quarenta e oito horas. Agora mesmo, Quique, sim. Estamos à beira de um novo escândalo e é melhor nos prepararmos para enfrentá-lo. É indispensável ter todos os álibis, se acontecer o que eu temo. Vamos, sente-se ali e faça a lista de uma vez.

Ele obedeceu docilmente a Luciano e, sentado à mesa, tentou durante uma boa meia hora enunciar por escrito tudo o que tinha feito nos últimos dois dias. Pensava que ia ser fácil; mas assim que começou a escrever descobriu que confundia as horas, principalmente, e esquecia muita coisa. Quando terminou, entregou a lista a Luciano. Este a examinou com cuidado.

— Pode ser que não aconteça nada e tenha sido à toa, Quique — disse para tranquilizá-lo. — Tomara. Mas nunca se sabe, temos que estar preparados. Se por acaso se lembrar de mais alguma coisa, mesmo que seja um detalhe insignificante, pode me ligar.

— Quer dizer que o maldito pesadelo vai ressuscitar — suspirou o engenheiro. — Quando eu já achava que a tempestade começava a amainar, vem isso. Uma desgraça nunca vem só, como diz o ditado.

— Quer tomar um uísque? — perguntou Luciano. — Talvez caia bem.

— Não, prefiro ir para a cama — disse Quique. — Sinto-me como se tivesse acabado de correr a maratona de Nova York, velho.

— Tudo bem, então descanse, Quique — despediu-se Luciano. — E faça as pazes de uma vez com Marisa. Amanhã nós conversamos.

Quando chegou ao seu edifício, Quique dispensou o chofer e subiu até a cobertura um pouco preocupado, pensando que talvez

Marisa tivesse ligado o alarme e trancado a porta. Mas, não, entrou em casa sem dificuldade. Os empregados lhe disseram que a patroa estava deitada e perguntaram se queria alguma coisa para comer. Ele respondeu que não estava com fome e deu boa-noite a todos. Quintanilla, um ayacuchano que trabalhava na casa havia muitos anos, sussurrou-lhe quando passou: "Que bom que o senhor voltou, don Enrique".

O quarto estava na penumbra e ele não acendeu a luz do abajur. Tirou a roupa na escuridão e, sem vestir o pijama, entrou nu sob os lençóis. A presença e o cheiro de Marisa o excitaram de novo e, sem dizer nada, deslizou até onde ela estava e abraçou-a.

— Eu amo você, amo demais — murmurou, beijando-a, juntando seu corpo ao dela, abraçando-a. — Perdoe-me pelos momentos difíceis que você passou por minha culpa todos esses dias, Marisa, meu amor.

— Acho que nunca vou conseguir perdoá-lo, seu desgraçadinho — disse ela, virando-se para ficar de frente para ele, beijando-o e abraçando-o também. — Você vai ter que fazer por merecer.

xv. A Baixinha está com medo

O capitão Félix Madueño, aquele que veio buscá-la em Cinco Esquinas e a levou ao necrotério na viatura policial, não a chamara de "Julieta Leguizamón"? Então estava muito bem informado. Sim, Julieta era seu nome, mas muito pouca gente sabia que o sobrenome era Leguizamón. Achou muito estranho quando ele a chamou assim, porque todo mundo usava o apelido: Baixinha. Ou, no máximo, Julieta. Era assim que costumava assinar seus artigos, com o apelido ou o nome de batismo. No veículo que a trouxe de volta para sua casa, no largo Tenente Arancibia, não vieram o oficial nem o civil, só os dois guardas. Nem o homem que estava no volante, nem seu companheiro lhe dirigiram a palavra durante o trajeto, e chamou sua atenção o fato de conhecerem perfeitamente o beco esburacado nos Bairros Altos onde ela morava.

Quando chegou em casa, a Baixinha foi à cozinha, bebeu um copo de água e caiu na cama vestida, só tirando os sapatos. Estava com muito frio. E então baixou a tristeza, uma tristeza profunda, dilacerante, lembrando o que tinha visto no necrotério: o que sobrara de Rolando Garro. Ela não costumava chorar, mas agora sentia que seus olhos estavam úmidos e umas lágrimas grossas lhe escorriam pela face. Que gente ruim, que sanguinários, tinham triturado o rosto do chefe com uma pedra e crivado seu corpo de punhaladas. Não podia ser obra de um simples larápio, de um pobre-diabo desses que puxam carteiras ou roubam relógios. Aquilo tinha sido uma vingança. Um assassinato bem planejado e, certamente, muito bem pago. Obra de matadores, de profissionais do crime.

Estremeceu da cabeça aos pés. E quem mais podia ter planejado essa vingança senão Enrique Cárdenas, o milionário que Rolando Garro mostrou nuzinho na revista, naquela orgia de puteiro que Ceferino Argüello fotografou? Puta que o pariu, maldito, filho duma grande puta. O pobre Ceferino ia se cagar de medo quando soubesse o que tinham feito com o diretor da revista. Não era para menos, porque se tinham destroçado assim o chefinho, o que não fariam com o autor das fotos. Era melhor avisá-lo para que sumisse por um tempo, com toda certeza estava sendo procurado. Mas não sabia o endereço nem o celular de Ceferino para preveni-lo. Além disso, a Baixinha não tinha a menor intenção de aparecer no dia seguinte na redação. Nem louca. Não ia pôr os pés lá por um bom tempo. Além do mais, quem podia saber se a revista ia conseguir sobreviver; claro que não, ia desaparecer tal como o pobre Garro. Será que ela também estaria em perigo? Tentou raciocinar com frieza. Sim, sem a menor dúvida. Todo mundo sabia que era o braço direito do chefe, que a Baixinha era a principal redatora da *Revelações* fazia algum tempo. E embora o próprio Rolando tivesse escrito a reportagem que acompanhava as fotos do milionário pelado, foi ela que conseguiu boa parte da informação e assinava junto com o chefe, de modo que também estava comprometida.

"Em que encrenca você me meteu, chefinho", disse em voz alta. Sentiu medo. Sempre havia pensado que algum dia essas confusões em que se aventurava, revelando as intimidades sujas de gente conhecida e famosa, iam colocá-la em perigo, talvez até correndo risco de prisão ou de morte. Será que tinha chegado a sua hora? Ela passara a vida na corda bamba dia e noite: por acaso não morava em Cinco Esquinas, um dos bairros mais violentos de Lima, com assaltos, brigas e surras em toda parte? Ela e seu chefe tinham pilheriado muitas vezes sobre os riscos que corriam com as revelações escandalosas que eram a especialidade dele. "Algum dia vão nos dar um tiro, Baixinha, mas console-se, seremos dois mártires do jornalismo, homenageados com uma estátua." E o chefe dava uma gargalhada que parecia feita de pedras arrastadas na garganta. Não acreditava no que dizia, claro. E agora era um cadáver pestilento.

Coitadinho. O mundo ficava vazio sem Rolando Garro. Seu chefe. Seu mestre. Seu inspirador. Sua única família. Você ficou só, Baixinha. Seu amor secreto, também. Mas disso ninguém sabia, só ela, e guardava lá no fundo do coração. Nunca deixou que ele nem desconfiasse que estava apaixonada. Uma noite ouviu-o dizer: "Duas pessoas que trabalham juntas não devem ir para a cama, o amor e o trabalho são incompatíveis, trepar rima com brigar. Portanto, já sabe, Baixinha. Se notar algum dia que estou avançando o sinal, em lugar de entrar no jogo quebre uma garrafa na minha cabeça". "Prefiro enfiar isso aqui no seu coração, chefinho", respondeu a Baixinha mostrando-lhe a pequena navalha que tinha na bolsa, além da agulha, no cabelo ou no cinto, para casos de emergência. Fechou os olhos e recordou mais uma vez o cadáver sanguinolento e o rosto destruído de Rolando Garro. A tristeza a gelava dos pés à cabeça. Lembrou que, alguns meses antes, o chefe tinha se engraçado com ela. Uma única vez. Na inauguração de uma boate que não durou muito, El Pingüino, num porão da avenida Tacna, a que Rolando tinha sido convidado. E a levou. Havia muita gente quando chegaram à boate, pequena, repleta de odores e de fumaça, *chilcanos* e *pisco sours*, que era o que serviam de beber. Passavam bandejas e bandejas cheias de copos e algumas pessoas já estavam altas. As luzes se apagaram. Começou o show. Umas moreninhas seminuas dançaram ao compasso de uma pequena orquestra de música tropical. De repente a Baixinha sentiu que seu chefe, em pé atrás dela, estava tocando em seus peitos. Se fosse qualquer outro, reagiria com a ferocidade habitual enfiando-lhe a agulha que tinha no cabelo ou deixando sua cara inchada com um tabefe. Mas com Rolando Garro, não. Ficou imóvel, sentindo uma coisa estranha, um gosto contendo desgosto, algo obscuro e agradável, aquelas mãos miudinhas apalpando seus peitos sem delicadeza a deixavam quietinha e dócil. Virou-se e viu na semiescuridão que o chefe estava com um olhar vítreo de álcool, já tomara vários *chilcanos*. Logo depois dessa troca de olhares, Rolando Garro soltou-a. "Desculpe, Baixinha", ouviu-o pedir. "Não percebi que era você." Nunca mais voltou a fazer qualquer alusão ao episódio. Como se nunca tivesse acontecido. E, agora, lá estava ele no necrotério, com a cara destruída por pedradas e o corpo todo furado a navalha. O policial lhe disse que havia sido encontrado em Cinco Esquinas. O que Rolando Garro veio fazer nesse bairro? Procurá-la? Impossível, ele nunca tinha vindo a sua casa. Alguma fêmea, talvez. Não ela, em todo caso, pois o chefe não tinha a menor ideia de onde morava. Apesar de trabalhar com ele e vê-lo diariamente durante anos, a Baixinha nada sabia sobre a vida particular do chefe. Tinha mulher, filhos? Provavelmente não, porque nunca falava deles. E passava seus dias e noites preparando os números da *Revelações*. Sempre estava tão sozinho quanto ela, não tinha outra vida além do seu trabalho.

Dormiu muito mal. Pegava no sono e logo depois o pesadelo renascia, com um fundo de catástrofes, incêndios, terremotos, ela rolava por um precipício, um ônibus investia em sua direção e, paralisada de terror, não conseguia sair da frente, quando o veículo ia atropelá-la acordou. Por fim, quando despontou pelas janelas a luz cinzenta da alvorada, adormeceu, arrasada pela noite ruim.

Tinha tomado um banho e estava se enxugando quando ouviu batidas na porta. Estremeceu, sobressaltada. "Quem é?", perguntou, levantando muito a voz. "Ceferino Argüello", disse o fotógrafo. "Ainda estava dormindo? Mil desculpas, Baixinha. É que tinha muita urgência de falar com você."

— Espere, estou me vestindo — gritou. — Abro agorinha mesmo.

Vestiu-se e mandou o fotógrafo entrar. Ceferino estava com o rosto devastado de preocupação e os olhos irritados, vermelhos, como se os tivesse esfregado com força. Usava uma calça amarrotada, tênis sem meias e uma camisa polo preta iluminada por um relâmpago rubro. Sua voz estava diferente do normal e falava como se articulasse cada palavra com dificuldade.

— Desculpe vir incomodar tão cedo, Baixinha — disse, ainda de pé na porta de entrada. — Mataram o chefe, não sei se você sabe.

— Entre, Ceferino, sente-se. — Apontou para uma das cadeiras que emergia entre as pilhas de jornais da sala. — Sim, sim, já sei. Esta noite a polícia veio aqui me buscar. E me levaram ao necrotério, para reconhecer o cadáver. Uma coisa horrível, Ceferino. Nem queira saber.

Ele tinha desabado na cadeira e a olhava, muito pálido, com os olhos imóveis e a boca aberta com um fiozinho de saliva pendurado, esperando. A Baixinha sabia perfeitamente o que estava passando pela cabeça de Ceferino e voltou a sentir medo; um medo tão grande quanto aquele que o rosto do fotógrafo refletia.

— Foi encontrado por aqui, em Cinco Esquinas, parece — explicou. — Com o corpo cheio de navalhadas. E os filhos da puta ainda destroçaram a cara dele a pedrada.

Viu que Ceferino Argüello assentia. Estava de cabelo em pé, parecia um porco-espinho. O seu rosto todo cheio de marcas de varíola estava lívido.

— É o que dizem os jornais e as rádios. Que foi sem dó nem piedade.

— Foi sim, uma verdadeira carnificina. Coisa de gente sádica, cruel, Ceferino.

— O que vai acontecer agora com a gente, Baixinha? — a voz do fotógrafo falhava. Ela pensou que se ele começasse a chorar o insultaria e expulsaria da sua casa chamando-o de "bicha de merda".

Mas Ceferino não chorou, ficou ali sem voz olhando para ela como que hipnotizado.

— Não sei o que pode acontecer — deu de ombros a Baixinha e decidiu fulminá-lo. — Pode ser que nos matem também, Ceferino. Principalmente você, que foi quem tirou as fotos.

O fotógrafo ficou em pé e falou com uma solenidade emocionada, levantando a voz em cada frase que dizia:

— Eu sabia que era muito perigoso, merda, e avisei a você, e avisei ao chefe — agora já estava gritando, fora de si. — E podem nos matar por causa dessa ânsia de tirar dinheiro do tal milionário, que maldição. A culpa também é sua, porque confiei em você e você me traiu.

Desabou na cadeira e cobriu o rosto com as mãos. Soluçou.

A Baixinha, ao vê-lo assim, tão indefeso e mergulhado no pânico, teve pena.

— Faça um esforço e tente pensar com clareza, Ceferino — disse, suavemente. — Nós dois temos que manter a cabeça fria se quisermos sair disso sãos e salvos. Não desperdice seu tempo procurando um culpado pelo que aconteceu. Sabe de quem é a culpa? Nem sua nem minha, nem mesmo do chefe. É do trabalho que nós fazemos. Agora chega.

Ceferino tirou as mãos do rosto e fez que sim. Seus olhos não estavam com lágrimas, mas muito irritados e brilhantes; uma careta estúpida deformava seu rosto.

— Quando vim lhe falar sobre aquelas fotos, era só para pedir um conselho, Julieta — disse ele em voz baixa. — Não se esqueça disso.

— Mentira, Ceferino — replicou ela, também sem levantar a voz, em tom de conselho. — Você me disse que guardou as fotos durante dois anos porque queria ver se podia tirar algum proveito delas. Quer dizer, para que fossem publicadas e você ganhasse um dinheirinho.

— Não, não, juro que não, Baixinha — protestou Ceferino. — Eu não queria que fossem publicadas. Sabia que podia acontecer alguma coisa muito ruim, como isso que houve, justamente. Eu adivinhei que podia acontecer, juro.

— Se você não queria que fossem publicadas, deveria ter queimado essas fotos, Ceferino — foi se irritando a Baixinha. — Portanto, chega de bobagens, por favor. Eu lhe disse que a pessoa que melhor proveito podia tirar delas era o chefe. E você me autorizou a contar tudo a ele. Não foi você mesmo quem levou as fotos para que o chefe visse o que se podia fazer com elas? Não se lembra mais disso?

— Está bem, está bem, não vamos discutir porque não tem mais jeito — suavizou o fotógrafo, de novo com sua cara habitual de cão espancado. — Agora precisamos decidir o que fazer. Você acha que a polícia vai nos chamar para depor?

— Receio que sim, Ceferino. E o juiz também. Houve um assassinato. Nós trabalhávamos com a vítima. É lógico que nos chamem.

— E o que eu digo a eles, Julieta? — De repente o fotógrafo parecia desesperado outra vez. Seus olhos estavam fundos, e sua voz, agora roufenha, tremia.

— Não vá fazer a estupidez de assumir que tirou essas fotos — disse a Baixinha. — Era só o que faltava.

— O que vou dizer a eles, então?

— Que não sabe nada de nada. Que não tirou as fotos e o chefe não lhe disse quem foi.

— E o que você vai dizer quando for chamada?

Julieta encolheu os ombros.

— Que também não sei de nada — afirmou. — Não estive nessa bacanal nem soube dela, até irmos preparar o material para a revista. Por acaso não é verdade?

Julieta recomendou a Ceferino que não fosse à redação da revista; ela também não iria. Se o engenheiro Cárdenas tinha contratado capangas, era lá que iriam procurar primeiro. E também seria prudente não dormir na própria casa por uns dias.

— Eu tenho mulher e três filhos, Baixinha. E estou sem um centavo no bolso. Porque ainda não recebemos o pagamento deste mês.

— Nem vamos receber, Ceferino — interrompeu ela. — Com a morte do chefe, a *Revelações* também vai passar dessa para a melhor. Com toda certeza. Portanto, pode ir começando a procurar outro trabalho. Aliás, eu também.

— Então você acha que nem sequer este mês vão nos pagar, Julieta? Para mim isso é uma tragédia, você sabe que eu vivo sempre na dureza.

— Para mim também, Ceferino. Eu também estou sem dinheiro. Mas não gosto da ideia de ser assassinada por um capanga do engenheiro Cárdenas, e por isso não ponho mais os pés na *Revelações*. Sugiro que você faça o mesmo. Estou falando pelo seu bem. Explique o problema à sua mulher, ela vai entender. Esconda-se na casa de alguém de confiança. Pelo menos até que o panorama fique um pouco mais claro. É o único conselho que posso lhe dar. Porque é o que eu vou fazer também.

Ceferino ficou mais um tempo na casa de Julieta. Algumas vezes se despedia, mas, como se uma força irresistível o impedisse de sair, voltava a sentar entre as pirâmides de jornais e revistas, reclamava de novo do azar e amaldiçoava as fotografias de Chosica, cujos negativos realmente tinha conservado, mas não foi para tentar ganhar dinheiro com eles — jurava por Deus! — e sim na esperança de que o homem que o contratou para tirá-las reaparecesse e lhe pagasse o que tinham combinado. Agiu como um idiota — sim, um estúpido — e ia lamentar isso a vida inteira.

Por fim, depois de choramingar por um bom tempo e se queixar da própria sorte, foi embora. A Baixinha desabou na poltrona, entre as pilhas de jornais. Estava exausta, e o pior da história era que Ceferino Argüello havia contagiado sua confusão e o pânico que sentia.

Olhou para seus joelhos e viu que estavam tremendo. Era um pequeno movimento, da direita para a esquerda e da esquerda para a direita, quase imperceptível, cadenciado e frio. Quando levantava um pé, o tremor cessava, mas só nesse joelho, no outro continuava. Sentiu-se dominada pelo medo, da raiz dos cabelos à sola dos pés. O medo contagiado pelo cagão do Ceferino Argüello. Tentou se acalmar, pensar com objetividade. Tinha que fazer o que recomendou ao fotógrafo: sair de casa o quanto antes, ir se hospedar com alguém de confiança, até que o temporal amainasse. Onde, quem? Passou em revista mentalmente as pessoas que conhecia. Eram muitas, com certeza, mas nenhuma com intimidade suficiente para pedir alojamento. Parentes não tinha, ou não via fazia muitos anos. Seus amigos eram jornalistas, gente do rádio e da televisão com quem mantinha relações ocasionais e muito superficiais. Na verdade, a única pessoa com quem poderia se confiar num caso assim seria Rolando Garro. O assassinato dele a deixara sem o seu único amigo de verdade.

Um hotelzinho ou uma pensão, então. Onde ninguém soubesse que ela estava. Mas quanto custava? Tirou da cômoda uma caderneta onde anotava cuidadosamente suas despesas e receitas. Era ridículo o saldo que tinha: menos de trezentos soles. Ia ter que pedir um empréstimo. Ela sabia muito bem que, com a morte do chefe, seria muito difícil receber o salário daquele mês na *Revelações*. Provavelmente os recursos da revista estavam com o próprio Garro ou quem sabe ficaram sob a guarda da justiça após sua morte. O gerente da revista sempre dizia que ela estava à beira da falência, o que agora talvez já fosse verdade. Ou seja, desse lado não havia nada a esperar.

O que fazer então, Baixinha? Ela se sentia deprimida, encurralada, paralisada. Sabia muito bem que era perigoso continuar em sua casa, o primeiro lugar onde iriam procurá-la se quisessem lhe fazer alguma coisa. Ela sabia que mais cedo ou mais tarde encontraria outro emprego sem dificuldade, acaso não era boa em sua profissão?

Claro que sim, mas aquele não era o momento mais adequado para visitar jornais, rádios e televisões em busca de trabalho. Era hora de se esconder, de salvar a própria pele, de ninguém saber onde ela estava. Até que as coisas fossem se acalmando e voltassem à normalidade. Onde, merda, onde se esconder?

E, então, a princípio de maneira confusa e remota, mas que pouco a pouco foi tomando forma, consistência, realidade, veio aquela ideia. Era audaciosa, sem dúvida, não isenta de riscos. Mas não era isso que seu mestre lhe havia ensinado, o que ele mesmo praticou muitas vezes na vida: para grandes males, grandes remédios? E o que podia ser pior que sentir-se ameaçada no exercício de sua vocação? Foi essa a aposta que acabou com Rolando Garro, não foi, Baixinha? Ele perdeu a vida, e de uma forma atroz, por praticar jornalismo investigativo e expor ao público as imundícies que podiam se permitir os ricos deste país sem leis e sem moral.

Era arriscado, claro. Mas, se desse certo, não apenas estaria protegida, mas poderia até tirar algum proveito profissional da coisa.

De repente, a Baixinha sentiu que o tremor dos seus joelhos tinha parado. E estava sorrindo.

xvi. O latifundiário e a chinesinha

— Tudo já passou, Quique — disse Luciano, dando um tapinha no joelho do amigo. — Agora você tem que esquecer essa história e procurar engordar um pouco. Está mais magro que espinha de peixe.

— Você acha que passou porque assassinaram esse velhaco e a *Revelações* acabou? — Enrique fez uma careta sarcástica. — Não, Luciano. Essa história vai me perseguir até o fim da vida. Quer saber o que mais me atormenta? Não é o mal físico e mental que fez à minha pobre mãe, nem que meu nome tenha sido jogado na lama. Não, não. O que virou uma tortura são as piadas vulgares dos amigos, dos meus sócios, até nas reuniões de diretoria. "Beleza de bacanal, meu irmão", "Por que não nos convidou para a sacanagem, compadre", "Pode me dizer quantas minas comeu nessa farra, velho?". Não suporto mais essas idiotices, as piscadelas de tantos imbecis. Seria melhor que me xingassem ou parassem de falar comigo, como fizeram alguns. Por isso estou pensando em fazer uma viagenzinha com Marisa.

— Uma segunda lua de mel? A famosa viagem pelas ilhas gregas de que falamos há anos? — riu Luciano; mas logo a seguir ficou sério: — Sobre a Marisa. Você não imagina como estou contente vendo que vocês fizeram as pazes e ela já o perdoou. Realmente vocês parecem estar reconciliados.

— Estamos mesmo — assentiu Quique, baixando a voz e dando uma espiada no interior da casa de Luciano para ver quando Marisa e Chabela, que tinham ido ver se as filhinhas dos Casasbella já estavam dormindo, voltavam. — Pelo menos, é a única consequência boa desse dramalhão. Não apenas fizemos as pazes; agora nosso casamento está melhor que antes. O escândalo e essa separação fugaz nos uniram mais que nunca, velho.

Tinham jantado comida chinesa que mandaram trazer do Lung Fung e, como ainda era cedo para o toque de recolher, sentaram-se na varanda de Luciano para tomar um drinque e conversar. As duas meninas tinham ficado um pouco ali com eles, mas Nicasia já as levara para seus quartos. O jardim e a piscina azulejada estavam iluminados e viam-se dois grandes dogues alemães brincando entre as árvores. O mordomo havia trazido os uísques, o gelo e a água mineral. Era uma noite tranquila, sem vento e, pelo menos até aquele momento, sem tiroteios nem apagões. Ali voltavam, de braços dados e rindo, Marisa e Chabela.

— Contem a piada, não sejam egoístas — recebeu-as Luciano. — Para nós quatro rirmos.

— Nem morta, maridinho — exagerou Chabela, arregalando os olhos e fingindo espanto. — É uma fofoca de cornos e pancadaria, você ia ter um troço, santinho do jeito que é.

— Não confie nos santinhos — disse Marisa, sentando-se ao lado de Quique e segurando seu rosto como se o repreendesse. — Este aqui parecia outro santarrão, e veja só as barbaridades que era capaz de fazer.

Soltou uma gargalhada, e Luciano e Chabela acharam graça, mas Quique ficou pálido e fez um movimento estranho com as duas mãos.

— Desculpe, desculpe, eu sei que você não quer brincadeira com isso, amor. — Marisa passou os braços em seu pescoço e beijou-o no rosto. — Você está parecendo um tomate, nem queira saber como ficou vermelho, amor.

— Isso foi o pior — acabou entrando na brincadeira Quique. — Acabei com fama, em Lima, de mulherengo e farrista, logo eu, que sempre fui tão comportado.

— Tenho fotos que dizem o contrário, não me venha agora se fazer de bom menino, Quique — interveio Chabela, provocando uma gargalhada geral.

— Um brinde — disse Luciano, levantando seu uísque. — Pela amizade entre nós quatro. Estou cada vez mais convencido, a amizade é a única coisa realmente importante nesta vida.

— Temos que fazer finalmente aquele cruzeiro pelas ilhas gregas de que tanto falamos — disse Quique. — Antes de ficarmos velhos. Duas semanas inteiras pelo mar de Ulisses, sem ler nenhuma notícia do Peru. Duas semanas sem apagões, sem terrorismo e sem imprensa marrom.

— O que você falou sobre amor e santinhos me fez lembrar meu avô materno — disse de repente Luciano, com um sorriso nostálgico. — Já lhes contei alguma vez a história dele?

— A mim, pelo menos, não — respondeu, surpresa, sua mulher. — Acho que tampouco me contou nada sobre os seus pais. Dez anos de casados, e não sei nada a seu respeito.

— Essa história deve ter provocado todo tipo de falatórios, imagino — continuou Luciano. — Desses que os limenhos, os maiores fofoqueiros que o universo pariu, adoram.

— Logo a mim você vem dizer isso — atreveu-se a brincar Quique. — Porque eu me doutorei em fofocagem, ultimamente.

— O pai da minha mãe era um fazendeiro de Ica, dos mais poderosos, dono de várias fazendas que a Reforma Agrária do general Velasco nos tirou — prosseguiu Luciano. — E o homem mais beato que já se viu neste vale do Senhor. Eu me lembro muito bem dele, de quando era pequeno. Don Casimiro. Usava terno preto e colete com relógio de bolso para ir à igreja. Frequentava a missa diária na capela da fazenda, e ia a procissões, batizados, adorações, rogatórias etc., na igrejinha do povoado. Nos almoços e jantares, abençoava a mesa quando estávamos todos sentados.

Luciano se calou. De repente estava com uma expressão melancólica; parecia entristecido com as lembranças da sua infância em Ica; era curioso, porque as coisas que costumava contar sobre sua vida na fazenda do avô não podiam ser mais felizes, passeios a cavalo, caçadas, *pachamancas*, as armadilhas que ele e os irmãos preparavam para as raposas, nas quais às vezes caíam iguanas, os passeios aos domingos para o banho de mar, e as leituras em voz alta, leituras piedosas, ou de livros de aventura, Salgari, Verne, Dumas, que o avô fazia para ele e os irmãos em seu escritório, entre virgens cusquenhas e velhas prateleiras repletas de livros empoeirados.

— O que não entendo, Luciano — disse Quique, aproveitando uma pausa no relato do amigo —, é por que você fica triste contando essas coisas tão bonitas da sua infância.

Fez-se um breve silêncio. Não foi só Quique, Chabela e Marisa também olharam para Luciano esperando a resposta.

— O que me deixa triste não é lembrar do meu avô Casimiro, e sim da minha avó Laura — disse afinal Luciano, com a voz mudada. Estava muito sério. Antes de continuar, olhou para os três de um jeito estranho, entre irônico e zombeteiro. — Sabem por quê? Porque minha avó materna, na verdade, não se chamava Laura. E era chinesa.

Marisa e Quique sorriram; mas Chabela abriu os olhos, assombrada.

— Chinesa? — perguntou. — Mas chinesa chinesa? Sério, Luciano?

— Sério, amor — confirmou Luciano. — Você nunca soube porque isso sempre foi um tabu, o grande segredo da família.

— Caramba, quantas coisas vou descobrindo depois de dez anos de casada — riu Chabela. — Quer dizer que sua avó era chinesa. Chinesa de verdade?

— Bem, talvez fosse uma chinesa chola — explicou Luciano —, mas acho que era chinesa chinesa, pura. Agora vem o mais grave. Ela era filha do armazeneiro do povoadinho da fazenda.

Agora, sim, Quique parecia seriamente intrigado com a história:

— E você pode me dizer, Luciano, como é que um figurão, um latifundiário de Ica como don Casimiro, que na certa se considerava um aristocrata de sangue azul, foi se casar com a filha do armazeneiro da fazenda?

Marisa tinha encostado a cabeça no ombro do marido e este a abraçava e, de vez em quando, lhe acariciava o cabelo.

— A única explicação é o amor — disse Marisa. — Que outra pode haver, ora? O figurão se apaixonou pela chinesinha e ponto final. Não dizem que as orientais viram feras na cama?

— É, vovô deve ter se apaixonado loucamente pela chinesinha — assentiu Luciano. — Ela devia ser bonita, atraente, para que um figurão cheio de preconceitos, sem dúvida racista e autoritário como todos da sua classe, desse um passo incrível: casar na igreja com a filha de um armazeneiro que com certeza era analfabeto e nunca tinha usado sapatos na vida.

Fez uma pausa longa, e a tristeza do seu rosto foi se transformando em sorriso.

— Os dois se casaram como Deus quer, na igrejinha da fazenda, nada menos — continuou. — Existem fotos da cerimônia, a família tentou destruir, mas eu consegui resgatar algumas. Vieram muitos convidados de Lima, claro, que devem ter ficado horrorizados com a loucura do grande senhor. Deve ter sido o escândalo do século, não só em Ica, mas também no resto do Peru. Nas fotos não se vê bem o rostinho da minha avó, só que era miúda e bem magrinha. Mas aposto que também era bonita. O fato é que tinha um caráter formidável. Uma verdadeira matriarca.

— Provavelmente ele a engravidou e, sendo tão beato, sentiu-se na obrigação de casar com ela. — Chabela se virou em direção ao marido, parecendo examiná-lo: — Agora entendo por que você tem esses olhinhos um pouco puxados, Luciano.

— A partir de agora vamos chamá-lo de China — acrescentou Marisa, rindo.

— Cale a boca, é assim que chamam o Fujimori — disse Luciano, também rindo. — Prefiro Chinocholo.

— Se você ficar conhecido como Chinocholo, eu peço o divórcio — exagerou Chabela.

— Continue contando, Luciano — urgiu Quique. — Sério, adorei a história de don Casimiro.

— O que vem agora é ainda melhor que o casamento do figurão com a chinesinha — disse Luciano. E consultou o relógio. — Ainda dá tempo de chegar ao final antes do toque de recolher.

Voltou à história dos seus avós maternos explicando que nunca conseguiu descobrir o nome original da sua avó chinesa porque, antes de se casarem, o avô a rebatizou como Laura, e assim foi chamada na família daí em diante. Assim que se casou, a chinesinha começou a parir filhos — "minha mãe e três tios, dois dos quais morreram crianças" — e, pouco a pouco, foi ganhando autoridade.

Insatisfeita por ser apenas uma dona de casa, começou a ajudar vovô no trabalho da fazenda.

— Quando eu era criança, os peões mais velhos da fazenda ainda se lembravam dela — disse Luciano. — De calça, bota de montar, chapéu de palha e chicote, percorrendo os campos, vigiando o regadio, a semeadura, as colheitas, dando ordens, às vezes dirigindo um impropério e até uma chicotada contra os peões frouxos ou indóceis.

Mas o que mais impressionava Luciano era que, na tradicional comemoração do Dia da Pátria, em 28 de julho, no meio da festa que seus avós ofereciam para todos os empregados e peões, com conjuntos de música, dançarinas e sapateadores trazidos de Chincha e El Carmen, sua avó Laura tirava os sapatos, ficava de pé no chão como as cholas da fazenda e dançava uma *marinera* com um dos peões, geralmente zambo ou preto, que eram sempre os melhores dançarinos de *marinera*. Uma coisa extraordinária, em qualquer caso: que a dona da casa, a esposa do grande patrão, dançasse *marinera* com um peão, aplaudida e incentivada por dezenas de peões, camponeses, parceiros, choferes, tratoristas e empregados domésticos. Era uma coisa que deixava frenéticos todos os observadores, pelo visto. E a aplaudiam com grande empolgação, pois, ao que parece, vovó Laura era uma grande dançarina de *marinera*. Essa dança anual, essa *marinera* em cima da terra, como se faz nos povoados mais tradicionais, era uma coisa esperada por toda a fazenda, o grande acontecimento do ano.

— Eu gostaria de ter conhecido a sua avó — disse Quique, olhando o relógio. — Sim, ainda temos algum tempo antes do toque de recolher, a esta hora se circula rápido e podemos chegar em casa em quinze minutos no máximo. Dona Laura deve ter sido uma mulher fora do comum.

— Morreu muito jovem, no parto do último dos meus tios — disse Luciano. — Vou trazer umas fotos dela, basta vê-la para adivinhar que tinha uma personalidade de dar medo. Só que...

Luciano parou de sorrir e ficou sério.

— Só que o quê? — indagou Chabela, estimulando-o a continuar a história. — Não fique assim, gaguejando.

— É que essa história romântica do figurão que se apaixona pela filha do armazeneiro — continuou Luciano, encolhendo os ombros — tem um lado um pouco truculento.

— Qual? — perguntou Marisa, erguendo a cabeça. — Deve ser o mais interessante.

— Uma vez por ano vovó Laura fazia uma viagem misteriosa. Ia sozinha e ficava vários dias fora — contou Luciano, devagar, fazendo pausas, mantendo a expectativa dos três ouvintes.

— E aonde ia? — perguntou Chabela. — Ah, Luciano, tenho que arrancar as coisas de você com saca-rolha.

— Esta é a pergunta de resposta impossível — disse Luciano. — A versão oficial é que ia ver sua família. Porque quando minha avó se casou, toda a família dela, a começar pelo pai armazeneiro e, imagino, a mãe e os irmãos, se é que os tinha, sumiram da fazenda. Sim, sim, a partir de agora tudo o que conto são suposições. Imagino que a família do meu avô, ou ele mesmo, os expulsou. Não teve qualquer problema em casar com a chinesinha. Mas deve ter sido demais para don Casimiro ver o armazeneiro e o resto da sua família ali por perto e ter que conviver com esses seus parentes políticos. Na certa eles foram mandados para o exílio, de maneira que não deixassem rastros. A coisa foi negociada, talvez. Meu avô deve ter dado dinheiro para eles se instalarem o mais longe possível de Ica. A viagem anual da vovó Laura era para visitar esses parentes exilados. Onde? Eu nunca descobri. Imagino que estavam no outro extremo do país. Na serra, na selva, quem pode saber. Ou seja, eu devo ter primos e sobrinhos em alguma aldeia perdida de Loreto ou Chachapoyas.

— Vamos soltar a imaginação — brincou Quique —, talvez seu avô ou a família tenha mandado matá-los. Uma coisa expeditiva, para que não ficasse nenhum vestígio dessa vergonha familiar. Sua avó Laura, nessa viagem anual, com certeza ia levar flores para os túmulos da parentada.

Marisa e Chabela riram, mas Luciano, não.

— Você está brincando, mas eu cheguei a pensar que naquela época não era impossível uma coisa assim. Meio século atrás, que valor podia ter a vida de uns chineses miseráveis? Talvez tenham mandado matá-los, sim. Aquela gente era bem capaz.

— Imagino que está de brincadeira, Luciano — protestou Chabela. — Que você não está dizendo a sério uma estupidez tão monstruosa.

— Um final um pouco escabroso para uma história tão romântica — suspirou Marisa. — Acho que devemos ir embora, Quique. Não quero perder a hora e ser parada por alguma patrulha. Já temos bastantes problemas, não é mesmo?

— Sim, sim, vão logo — disse Chabela. — Uma amiga minha foi abordada na rua por uma dessas patrulhas depois do toque de recolher e teve que dar um bom dinheiro para os abusados dos policiais.

— Maldito toque de recolher — disse Quique, levantando-se, de mãos dadas com a mulher. — Para dizer a verdade, eu ficaria a noite toda ouvindo a história da chinesinha.

— Pois me fez bem contá-la — disse Luciano, acompanhando-os pelo vasto jardim até a saída. — A grande vergonha da minha família materna me queimava por dentro. Sinto que resgatei minha avozinha Laura e sua família.

No portão havia uma guarita com um segurança armado que lhes deu boa-noite.

Quique e Marisa se despediram de Luciano e Chabela, entraram no carro e partiram.

— Escute aqui — disse Quique, com um jeitinho insinuante. — Na despedida você e Chabela praticamente se beijaram na boca.

— Está com ciúme? — riu Marisa. Mas ao ver que Quique freava o carro de repente, ficou alarmada. — Por que freou?

— Não fiquei com ciúme, e sim com inveja, gringuinha — disse ele. — Freei para beijar você. Me dê essa boquinha, coração.

Beijou-a com força, passando a língua por sua boca, sorvendo a saliva.

— Chega, Quique — disse ela, afastando-o. — É perigoso, podem nos assaltar. Aqui está muito escuro, vamos embora de uma vez.

— Cada dia estou mais apaixonado por você — disse ele, arrancando de novo. — Este maldito escândalo serviu ao menos para isto. Para saber que estou louco por você. Que tenho a sorte de ter me casado com a mulher mais bonita do mundo. E a mais gostosa, também.

— Não olhe para mim, olhe para a rua, Quique, vamos bater. E não vá tão rápido, por favor.

— Quero chegar logo em casa para tirar eu mesmo a sua roupa — disse ele. — E beijar seu corpo da cabeça aos pés, milímetro por milímetro, sim, sim, da cabeça aos pés. E esta noite, nada de apagar a luz. Vou deixar todas acesas, não apenas a do abajur.

— Ora, ora, não o estou reconhecendo. Você não era assim, Quique. O que aconteceu, posso saber?

— Descobri que você é a mulher mais sensual e excitante do mundo, amor.

— Vindo de um especialista na matéria, é um grande elogio, meu rei.

— Cuidadinho com essas brincadeiras que já, já eu paro de novo e fazemos amor no carro, gringuinha.

— Ai, que medo — riu Marisa. — Não dirija tão rápido, Quique, podemos bater.

Ele reduziu um pouco a velocidade e assim ficaram, brincando e zoando o resto do trajeto. Quando chegaram a San Isidro, em frente à sua casa no Golfe, faltavam dez minutos para começar o toque de recolher.

— Por que tem tantos policiais aqui? — disse Marisa, surpresa.

Havia duas viaturas bloqueando a rampa que dava acesso à garagem do edifício, e ambas estavam de faróis acesos. Quando o carro de Enrique parou à sua frente, as portas se abriram e saíram vários homens, fardados e à paisana, que se aproximaram deles e rodearam o veículo. Quique abriu a janela, e um oficial se inclinou e quase encostou a cabeça para falar com ele. Estava com uma lanterna acesa.

— Engenheiro Enrique Cárdenas? — perguntou, levando a mão ao quepe.

— Sim, sou eu — assentiu Quique. — O que está havendo, oficial?

— Boa noite, sr. Cárdenas. Vai precisar nos acompanhar. Mas antes pode estacionar o seu carro. Nós esperamos aqui, não há nenhum problema.

— Acompanhar aonde? — perguntou Quique. — Por quê?

— Quem vai lhe explicar é o dr. Morante, o promotor — disse o oficial, afastando-se para ceder o lugar a um homem à paisana, baixinho, grisalho, com um bigodinho mosca, que fez uma mesura para o casal.

— Sinto muito, sr. Cárdenas — cumprimentou, com uma gentileza forçada. — Tenho uma ordem do juiz que explica a nossa presença aqui. O senhor está preso.

— Preso! — disse Quique, assombrado. — Posso saber por quê?

— Pelo assassinato do jornalista Rolando Garro — disse o dr. Morante. — Houve uma acusação formal contra o senhor e o juiz emitiu uma ordem de prisão. Está aqui, pode ler. Espero que seja um mal-entendido e tudo se esclareça. Não o aconselho a resistir, engenheiro. Pode ser prejudicial para o senhor.

XVII. Estranhas operações em torno de Juan Peineta

Juan Peineta saiu bem cedinho do Hotel Mogollón, perguntando-se de novo onde estaria Serafín, pois fazia três dias que ele não aparecia. Ou eram quatro? Ou mais de uma semana? É muito esquecimento, puta que pariu. Foi para a avenida Abancay. Ainda bem que Willy Rodrigo, o Ruletero, estava residindo nos Bairros Altos. Antes, quando morava no Callao, visitá-lo era uma verdadeira aventura. Tinha que andar até a praça San Martín, onde tomava o ônibus para o Callao. Era o único veículo em que embarcava, todo mês ou mês e meio, para visitar seu compadre e amigo, o rei da jogatina. Ninguém sabia de onde vinha esse apelido, Ruletero, até que um dia Willy lhe contou que era de um mambo de Pérez Prado, o inventor desse ritmo, uma música que, na juventude, passava o dia todo cantando e dançando. Mas nem ele, nem ninguém em Lima, sabia o significado da palavrinha cubana *ruletero*: cafetão?, taxista?, vendedor de loterias?

Por que será que Willy o chamava com tanta urgência? Esquisita aquela ligação da véspera, para o Hotel Mogollón: "Preciso ver você urgentissimamente, Juanito. Não posso dizer mais nada pelo telefone. Vamos almoçar juntos amanhã? Bacana. Até manhã, então". De que se tratava? Por que Willy não lhe dera ao menos uma pista? Juan Peineta começou a remontar a avenida Abancay; na altura do Congresso viraria no sinuoso e estendido largo Junín, ao fim do qual chegaria a Cinco Esquinas, onde morava Willy: esse percurso, pelo menos, recordava muito bem. Em determinados momentos tinha a sensação de que dia a dia evaporavam mais coisas da sua memória, de que em breve ele seria um fantasma sem passado.

Ele e Willy eram amigos desde o tempo em que Juan Peineta praticava a nobre arte da declamação e o Ruletero, que administrava um auditório no bairro de Cantagallo, no Rímac, costumava contratá-lo para recitar seus poemas entre os números de dança e canções andinas. O auditório de Willy também apresentava noites de *cachascán* ou luta livre, mas ele não chamava Juan Peineta para esses espetáculos (chamou uma vez, e as vaias e gritos de "Boiola!" e "Bicha!" das arquibancadas para o pobre Juan o dissuadiram de repetir a dose). O Ruletero tinha vendido o auditório fazia tempo; agora tinha uma casa de jogo em Cinco Esquinas, não muito distante do monumento a Felipe Pinglo, o grande compositor de valsas da velha guarda. Antes, quando morava no Callao, havia outro monumento pertinho de sua casa: o de Sarita Colonia, a padroeira dos ladrões. Ninguém podia ser mais diferente de Juan Peineta que Willy, com sua vida notívaga e sua espelunca onde iam tentar sorte os jogadores mais famintos e infames, muitos deles assaltantes e ex--presidiários que conviviam na noite com bêbados, cafetões e vagabundos que muitas vezes costumavam dirimir suas divergências a navalhadas ou pontapés. Também havia entre os fregueses de Willy muitos tiras e informantes da polícia que iam lá filar uma cerveja e obter informações.

    Apesar de tudo isso, eles mantinham uma amizade acima das diferenças abismais entre suas vidas. Durante muito tempo Juan fazia quatro ou cinco vezes por ano o longo trajeto do centro de Lima até aquele bairro feroz perto do porto de Callao para passar o dia com seu velho amigo. Agora, desde que se mudara para o centro da Lima colonial, era mais fácil, já não precisava fazer a interminável e desconfortável viagem até o porto, só essa cansativa caminhada. Willy sempre o levava para almoçar em alguma taberna onde houvesse mexilhão fresco e cerveja gelada. Enquanto se empanturravam, os dois lembravam os tempos de outrora, quando Juan exercia sua vocação de artista-recitador e tinha um casamento feliz com Atanasia, e Willy administrava seu auditório folclórico, o que lhe permitia levar para a cama algumas das artistas que desfilavam em seu picadeiro, se bem que Juan achava que não tinha comido tantas como se vangloriava. Porque Willy também era muito fanfarrão. Mesmo sabendo que exagerava e mentia, Juan se divertia muito escutando-o. Por que o chamara com tanta urgência? Por que não quis adiantar nada pelo telefone?

Demorava quase uma hora para chegar a essa encruzilhada labiríntica que era Cinco Esquinas, no coração dos Bairros Altos. Quando Juan era jovem, esse lugar era cheio de saraus de música *criolla* e lá moravam muitos boêmios, artistas, músicos, e até branquinhos de Miraflores e San Isidro amantes da música nativa vinham ouvir os melhores cantores, violonistas e tocadores de *cajón* e dançar com os cholos e os pretos. Ainda havia sinais da grande época dos Bairros Altos, o tempo de La Palizada, Felipe Pinglo e todos os grandes compositores e divulgadores da música *criolla*.

Agora o bairro estava degradado e suas ruas eram perigosas. Mas nele Willy estava no seu elemento, presidindo a jogatina. Ganhava bem, aparentemente, mas Juan Peineta receava que um dia o apunhalassem. Ia andando, em seu ritmo lerdo e suportando as dores das suas varizes inchadas, pelo serpeante, extenso e sempre movimentado largo Junín. A cidade ia empobrecendo e envelhecendo à medida que ele avançava entre as bancas das vendedoras que ofereciam flores, comida, frutas, todo tipo de quinquilharias, as velhas casas coloniais que pareciam prestes a desmoronar, as crianças esfarrapadas, pedintes ou desocupadas, ainda dormindo nos saguões ou debaixo dos postes de luz. Além de igrejas coloniais, havia muitas confrarias e cruzes em volta das quais, às vezes, uma corte de devotos acendia velas para o Santo Cristo ou para os santos, rezando ajoelhados e tocando em sua imagem. Por ali, depois de passar o convento das Descalças e a Quinta Heeren, num beco de terra, ficava a casa de jogo de Willy Ruletero.

Geralmente encontrava o amigo de bom humor, e ele sempre o recebia com a mesma piada: "Que bom ver que está vivo, que ainda não bateu as botas, Juanito!". Mas dessa vez Willy estava sério e tenso e o abraçou sem dizer nada. "Fiquei preocupado com seu telefonema de ontem à noite, velho", disse Juan, "o que houve?" Willy limitou-se a cobrir os lábios e sugerir com um gesto que se afastassem dali. Ele tinha o rosto marcado por várias pintas e era um homem grisalho e ainda forte para seus setenta e poucos anos; estava com um macacão desbotado, um pulôver cinza sem mangas e um mocassim velho sem meias. Quase abraçando Juan Peineta, empurrou-o para longe da casinha de madeira e adobe e teto de zinco onde funcionava sua jogatina e onde ele morava, sozinho ou, como costumava dizer, "com mulherzinhas ocasionais".

— Por que não entramos na sua casa para descansar um pouquinho, Willy? — sugeriu Juan Peineta. — Você está muito misterioso, compadre, eu fiquei exausto de tanto andar.

— Vamos conversar longe daqui, Juanito — respondeu o Ruletero em voz baixa, olhando em volta. E acrescentou, piscando: — Este lugar ficou muito perigoso. Não só para mim. Para você também, compadre. Eu vou lhe explicar.

Em silêncio, de cara fechada e com um ar de preocupação que deixou Juan Peineta muito mais preocupado do que estava, Willy o fez andar vários quarteirões por um mar de ruelas de terra batida e casinhas inacabadas de um ou dois andares, todas elas cheias de gente pobre, descalça ou de chinelos, os homens de camiseta e muitas mulheres com lenço na cabeça como faziam as devotas de algumas seitas evangélicas.

Juan notou que seu amigo estava mancando do pé esquerdo: tinha tropeçado?

— Parece que é reumatismo e que isso não tem solução — respondeu o Ruletero fazendo uma careta mal-humorada. — Uma mulher lá do bairro, uma espécie de feiticeira que cura com ervas, está me dando uns banhos, por enquanto sem resultados. Provavelmente já estou com os achaques de velhice, Juanito. Assim como você está fodido da memória, eu estou das minhas pernas.

O que estava acontecendo com Willy? Não parecia o mesmo de sempre, o homem sorridente e brincalhão que Juan conhecia havia mais de trinta anos, que não se abalava com coisa nenhuma e não perdia o bom humor por nada no mundo. Estava inquieto, desconfiado e assustado. Juan viu que hesitava antes de entrar em alguns dos bares onde pararam para que Willy os farejasse antes. Em vários decidiu não entrar sem dar qualquer explicação a Juan Peineta.

— Assim me deixa preocupado, Willy — disse afinal, enquanto continuavam andando em busca de um lugar onde pudessem sentar e conversar tranquilamente. — Que diabo está acontecendo com você, irmão, por que está tão desconfiado, tão nervoso?

Em vez de responder, Willy, muito sério, levou um dedo à boca indicando que fechasse o bico: silêncio. Mais tarde teriam tempo para falar.

Finalmente Willy encontrou o que estava procurando. Um boteco cheio de moscas, com meia dúzia de mesinhas vazias que, apesar de ser pleno dia, estava com uma lâmpada tênue acesa. Sentaram perto da porta e Willy pediu uma cerveja bem gelada — Pilsen Callao, naturalmente — e dois copos limpinhos.

— Afinal vai me dizer que merda está acontecendo, Willy? Por que diabo você está tão estranho, irmão?

Willy cravou um olhar cheio de apreensão em seus olhos grandes e amarelados.

— Estão armando alguma coisa que não me cheira nada bem, irmão — disse, abaixando a voz e dando uma espiada suspicaz no entorno que Juan tampouco conhecia. Fez uma longa pausa antes de continuar: — Vou lhe contar tudo, porque desconfio que você também esteja metido nessa encrenca. É que...

Mas se calou porque o homem descalço que atendia as mesas chegou com a cerveja e os copos. Serviu-os, com muita espuma, e Willy só continuou quando ele já estava longe, atrás do pequeno balcão: — É sobre o jornalista que mataram, aquele que você odiava tanto, Juanito.

— Rolando Garro? — Juan Peineta teve um sobressalto e se benzeu. — Quer saber de uma coisa, Willy? Eu fiquei muito feliz quando o mataram, para que vou mentir. Porque ele ferrou minha vida, você sabe. Mas depois me arrependi. A gente não deve se alegrar com as desgraças alheias, por mais que se trate de um sujeito ruim como Garro. Fui me confessar, e o padre puxou minha orelha. Não o odeio mais. Só tenho pena. Deus lá em cima vai saber o que fazer com ele. Teve uma morte horrível, parece.

Parou de falar porque Willy Ruletero parecia não estar mais escutando. Quando viu Juan Peineta calado, ele voltou da abstração ou do sonho em que estava imerso para a realidade.

— Você leu que foi encontrado morto aqui neste bairro, não leu?

Juan Peineta confirmou.

— Pertinho do monumento de Felipe Pinglo, quase chegando a Cinco Esquinas. Sim, li sim. Mas por que está me perguntando, Willy?

— Porque não é verdade — disse o Ruletero, abaixando ainda mais a voz. — Não o encontraram. Foi trazido num carro que só podia ser da polícia. Ou da Segurança do Estado. Só eles se atrevem a entrar neste bairro à noite. Tiraram o cadáver do carro, destroçado como estava, e o deixaram na porta da minha casa de jogo. Não acha estranho, Juanito? Não é muita coincidência escolherem esse lugar para deixar o cadáver do jornalista? Pode-se saber com que intenção fizeram isso?

— Você tem certeza do que está me contando, Willy? — perguntou Juan Peineta.

— Eu os vi — confirmou seu amigo, dando uma pancadinha na mesa. — Na minha rua não entra carro de noite, irmão. Todo mundo se caga de medo de ser assaltado. Os que entraram só podiam ser tiras ou milicos. Da polícia ou da Segurança do Estado. Quando ouvi o motor do carro, fiquei espiando pela janela. E vi tudo, com estes olhos.

— Então não foi o milionário que está preso que mandou matá-lo, Willy? — surpreendeu-se o ex-recitador.

— Só estou dizendo o que vi — afirmou o Ruletero, tamborilando nervoso no tampo da mesa, de onde saíram voando várias moscas. — Não sei quem o matou. A única coisa que sei é que não o encontraram morto em Cinco Esquinas, ele foi trazido já morto em um carro e largaram o cadáver em frente à minha casa. Sabe-se lá com que intenção. E os homens que o trouxeram só podiam ser tiras ou milicos da Segurança do Estado, não tenho a menor dúvida disso. A patrulha só apareceu aqui umas duas ou três horas depois. Não fui eu que avisei, claro. Só fiz uma coisa: despachei todos os jogadores pela porta falsa, apaguei as luzes, fui para a minha caminha e fiz de conta que estava dormindo. Não contei a mais ninguém o que estou lhe dizendo. Você entende que isso é muito preocupante, não é, Juanito?

— Mas por quê, irmão? — tentou tranquilizá-lo Juan Peineta. — Para que vai se preocupar com uma coisa que não tem nada a ver com você.

— Por que você acha que escolheram a porta da minha espelunca para deixar o cadáver de Garro? Foi por acaso? O acaso não existe, irmão. Tudo o que acontece tem sua razão de ser, principalmente quando se trata de um assassinato.

— Quer dizer, você acha que fizeram isso de propósito, para comprometê-lo com essa morte. Não seja tão desconfiado, Willy. Na certa foi deixado aí sem outras intenções, porque sim, como poderia ter sido em qualquer outro lugar.

— Espere a continuação da história, irmão — disse Willy, olhando-o com compaixão. — Só estamos no começo. Pode acreditar que o corpo foi deixado aqui por uma razão que tem a ver comigo. E também com você, Juanito. Com você, sim, exatamente. Pensei que podia estar enganado quando prenderam aquele Enrique Cárdenas, o minerador, acusando-o de ser o autor intelectual do crime, porque Garro o chantageava ameaçando divulgar as fotos da bacanal de Chosica. Mas, mas...

Fez silêncio e olhou longamente para Juanito, como se estivesse no velório dele contemplando o seu cadáver. Este se preocupou.

— O que foi, Willy? — perguntou. — Por que ficou calado de repente me olhando desse jeito?

— Porque parece que toda essa história tem muito mais a ver com você que comigo, irmão. Lamento muito ter que lhe dar esta má notícia. Isso mesmo. Com você, não comigo. Eu entrei na história por tabela, digamos. Simplesmente por ser seu amigo.

Juan Peineta teve a sensação de que a cadeira onde estava sentado se levantava e caía de súbito no chão, sacudindo todos os seus ossos. Sentiu dor de cabeça, um calafrio lhe correu pelas costas. O que significava tudo aquilo? Ele não estava entendendo nada. Será que tinha esquecido algo importante? Buscou em sua memória e não encontrou nada.

— O que está dizendo, Willy? — murmurou. — Comigo?

— Foi por isso que liguei ontem pedindo que você viesse com tanta urgência — sussurrou Willy, aproximando-se muito do rosto do amigo. — Essas coisas não se falam por telefone. A notícia boa é que eles não sabem que você mora no Hotel Mogollón. Não é incrível? Pois é: não sabem.

— Quem? — balbuciou Juan Peineta. — Quem são essas pessoas de que você está falando?

— Quem pode ser, Juanito — ironizou Willy. — Os tiras ou os milicos da Segurança do Estado. Só podem ser eles, já disse.

Haviam aparecido três ou quatro dias depois da noite em que aquele carro misterioso deixou o cadáver destroçado de Rolando Garro em frente à jogatina de Willy Ruletero. Estavam à paisana e com o cabelo raspado de lado, por isso quando Willy os viu percebeu na hora que eram militares. Os dois lhe estenderam a mão e sorriram com o sorriso um pouquinho falso dos policiais e agentes de segurança quando estão de serviço. Mostraram-lhe umas carteiras plastificadas onde Willy divisou carimbos, uma bandeirinha peruana e umas fotos minúsculas e indetectáveis.

— Isto é uma visita informal, Willy — disse o visitante que parecia mais velho. — Sou o capitão Félix Madueño. Eu não existo, por via das dúvidas. Quer dizer, nós não viemos, não estamos aqui. Você é inteligente e está me entendendo, não é mesmo?

Willy se limitou a sorrir, já preocupadíssimo. Aquilo estava começando mal. Vinham atrás do seu dinheiro, ou o quê?

— Isto aqui parece uma jogatina de mortos de fome — comentou o outro, apontando para as paredes lascadas, os vidros sujos das janelas, as teias de aranha no teto, as mesinhas capengas e o chão de terra batida. — E, no entanto, Willy, nós sabemos que aqui se jogam milhões de soles toda noite.

— Eu não diria tanto — sorriu Willy, com muita prudência. — Em todo caso, não há limite para as apostas, desde que o jogo seja limpo. É a regra da casa.

— Não precisa fazer essa cara de preocupação, Willy — disse o que tinha falado antes. — Nós não viemos perguntar nada sobre seu negócio nem sobre seus clientes, esses jogadores que perdem aqui tudo o que têm.

— E o que não têm, também — disse o outro.

— Mas sim sobre seu amigo Juan Peineta.

— É mesmo, Willy? — perguntou o ex-recitador, cada vez mais surpreso e assustado. Não conseguia acreditar no que estava ouvindo, achava que agorinha mesmo Willy ia dar uma gargalhada e dizer: "Era brincadeira, irmão, só para ver como se soltava a sua diarreia". — Eles sabiam meu nome? Vieram falar de mim?

— Sim, ele mesmo — confirmou o mais velho, que se apresentava como capitão Félix Madueño. — Sabemos perfeitamente que vocês são muito amigos, não é mesmo?

— Claro que ele é meu amigo — assentiu Willy. — Quando eu tinha um auditório, em Cantagallo, Juanito recitava poemas entre os números de música folclórica. E recitava muito bem. Era um artista.

— E também vem visitá-lo aqui de vez em quando e vocês almoçam juntos, não é verdade? — afirmou o outro.

— Sim, de tanto em tanto ele passa aqui para lembrar os velhos tempos — disse Willy. — Não vem há muito tempo, não sei por onde andará. Espero que não tenha morrido.

— Estamos precisando do endereço e do telefone dele — disse o que tinha falado antes, com uma vozinha ácida. — Pode nos fazer este favor, Ruletero?

— Sabe o que mais chamou minha atenção, Juanito? — disse Willy diante da cara atarantada do ex-recitador. — Que esses agentes da Segurança do Estado, que sabiam de tantas coisas, que nós somos amigos, que às vezes almoçamos juntos por aqui, não tivessem a menor ideia de que você mora no Hotel Mogollón há anos. Não acha incrível?

— Não, não acho — replicou Juan Peineta, falando com dificuldade, como se houvesse alguma coisa travando sua garganta. — É o subdesenvolvimento, Willy. E você, o que disse a eles?

— Acho que ele não tem residência conhecida, vive daqui para lá, onde os amigos lhe dão hospedagem, imagino. Ou num albergue de caridade de algum convento. E, claro, seria surpreendente que tivesse telefone.

— Você está querendo nos sacanear, Willy? — disse o mais jovem, com uma vozinha agressiva, mas sempre sorrindo. — Achou que nós temos cara de babacas, reizinho da jogatina?

— Claro que não, chefe — Willy jurou com os dedos em cruz. — Se o Juanito tivesse um endereço fixo eu diria, sem problema. Mas duvido que haja tido algum endereço na vida. E telefone muito menos. Juan Peineta está na pior, não tem onde cair morto, vocês não sabem? Parece um cachorro sem dono. Desde que deixou de ser um dos Três Piadistas a vida dele despencou ladeira abaixo. Chegou ao fundo do poço há muito tempo. Ele vive de caridade, não sei se sabem. Além do mais, está perdendo a memória, às vezes não sabe nem quem é.

— Coitadinho do Juan Peineta — disse com sarcasmo o mais velho dos dois, dando-lhe um papel. — Faça-me um favor, Willy. Descubra o endereço dele e me telefone para este número. Pergunte pelo capitão Félix Madueño ou pelo suboficial Arnilla, às suas ordens.

— Que isto fique como um segredo nosso, Willy — disse o mais jovem. — E, evidentemente, quando nós sairmos daqui você não vai fazer a estupidez de ir contar ao seu amigo que estamos atrás dele.

— Nunca na vida — protestou Willy, batendo na mesa com o punho. — Eu sempre me dei bem com as autoridades.

— Claro que sim, Willy, você é um cidadão exemplar e todo mundo sabe disso — disse o suboficial Arnilla, estendendo-lhe a mão. — Até logo, compadre. Não se esqueça, descubra o endereço do seu amigo. O quanto antes.

— E foram embora — disse Willy. — Eu, naturalmente, fui correndo telefonar para o Hotel Mogollón. Agora você compreende por que eu não podia lhe deixar nenhum recado, por que tinha que contar tudo isso pessoalmente.

O ex-recitador tinha a estranha sensação de que aquilo não estava acontecendo, era um pesadelo e a qualquer momento iria acordar e rir do susto que levou diante do que não tinha ocorrido nem ia ocorrer. Entretanto, ali estava seu amigo Willy Ruletero olhando para ele com tristeza. O homem do bar veio perguntar se queriam que ele fizesse um ceviche de corvina.

— Está fresquinha? — perguntou Willy.

— Chegou esta madrugada do Callao, recém-saidinha do mar.

— Dois ceviches de corvina caprichados, então. E outra cerveja, mas bem, bem geladinha.

— Não estou entendendo nada, Willy — balbuciou Juan, quando o outro se afastou. — Para que esse pessoal da polícia ou do Exército está me procurando?

Willy estendeu a mão, segurou seu braço e apertou-o num gesto solidário.

— Não tenho a menor ideia, irmão — disse, aflito. — Mas isso não está me cheirando nada bem, Juanito. Minha suspeita é de que meteram ou querem meter seu nome numa história muito pesada. Principalmente, porque vieram perguntar por você poucos dias depois que aqueles caras deixaram na minha porta o cadáver do tal jornalista que fodeu sua vida. Todo mundo sabe que você o odiava, que manda cartas contra ele aos jornais há muitos anos. Não vê a conexão que pode existir entre tudo isso?

— O que está querendo dizer, Willy? Que as duas coisas estão ligadas? Mas isso não tem pé nem cabeça. O que o safado do Garro me fez aconteceu há uns dez ou doze anos. Talvez não sejam tantos. Mas no mínimo mais de cinco.

— Eu sei, Juanito — disse Willy; queria acalmá-lo, mas tudo o que ele dizia a Juan o deixava ainda mais preocupado. — Essas coisas da polícia não costumam ter muita lógica. Mas um ponto fica bem claro. Estão armando feio contra você. Não sei o que é, mas não tenha dúvida de que se cair nas mãos desses caras coisa boa não vai lhe acontecer. É muita sorte eles não saberem onde você mora. Você tem que sumir, ficar longe daqui por um tempo, irmão.

— Sumir, Willy? — Juan estava boquiaberto. — Ir para onde? E com quê? Eu não tenho onde cair morto, irmão. Para onde poderia ir?

Willy assentiu e deu outra palmadinha fraternal em seu braço.

— Por mais que eu queira, não posso hospedá-lo, Juanito. Lá na jogatina seria preso na hora. Procure, pense, matute bem, você vai arranjar alguma coisa. Mas, por favor, não me diga onde vai se esconder, se encontrar algum esconderijo. Eu não quero saber para não ter que mentir outra vez para esses tiras, ou seja lá o que forem, se vierem me interrogar sobre o seu paradeiro.

O ex-recitador ficou olhando para o amigo sem saber o que dizer. Aquilo estava mesmo acontecendo com ele? Continuava bem acordado? Uma pessoa forçada pela vida a morar num buraco miserável, que recebia uma pensão ridícula, que precisava frequentar o refeitório das Descalças para não ficar tuberculoso. Será que ainda podia piorar? Procurado pela polícia ou pela Segurança do Estado, ele, Juan Peineta? Era tão absurdo, tão desatinado, que não sabia o que dizer nem o que fazer.

— Não tenho nada a esconder, Willy — disse afinal. — Vai ser melhor me apresentar a esses caras que vieram aqui e perguntar por que estão me procurando, o que querem comigo. Só pode ser uma confusão, um mal-entendido. Você não acha, irmão?

— Eu não lhe recomendaria fazer essa babaquice, Juanito — disse Willy, olhando-o com tristeza. — Se você está sendo procurado, a coisa é perigosa. Havendo alguma confusão ou um mal-entendido, para você, para mim ou para qualquer um que não seja um peixe grande, o caso pode acabar muito mal. Enfim, você sabe o que faz. Eu quis lhe contar porque gosto de você, meu velho amigo, e já não me restam muitos. Acho que é o último. Não gostaria que fosse envolvido numa história pesada ou, até, que o fizessem desaparecer. Você sabe muito bem que aqui as pessoas desaparecem e nada acontece porque a culpa de tudo é dos terroristas. Você sabe o que faz, irmão. Só lhe peço uma coisa, se for preso não diga que eu o procurei e contei isso que contei.

— Claro que não, Willy — disse Juan Peineta. — Você não sabe como estou grato por ter me avisado. Claro que nunca diria que você telefonou para me alertar. Se me perguntarem, vou dizer que não vejo você há muito tempo.

— Isso, isso mesmo — disse Willy Ruletero. — E, do jeito que estão as coisas, é melhor deixarmos de nos ver por um tempinho. Não acha?

— Claro que sim — disse Juan, a cara desfigurada de preocupação. — Você tem toda a razão do mundo, irmão.

XVIII. A noite mais longa do engenheiro Cárdenas

Quando seus olhos se acostumaram com a escuridão do lugar, entre as figuras silenciosas que o povoavam divisou numa das paredes rabiscadas uma inscrição a giz, em letras grandes, que conseguiu ler:

> *E quando esperava o bem,*
> *Sobreveio o mal;*
> *Quando esperava a luz, veio*
> *A escuridão.*

Era uma inscrição bíblica? Estava todo encolhido de terror, mas, mesmo sim, muito consciente de que aquele recinto estava impregnado de uma pestilência que lhe dava enjoo — fedia a muitas coisas, mas, principalmente, a excremento, suor e urina — e fervilhava de homens, alguns seminus, uns sentados num banco tosco de cimento e outros acocorados ou deitados no chão. Ninguém falava, mas Quique intuía que, nas sombras que o rodeavam, dezenas de olhos estavam fixos nele, o último recém-chegado a esse porão, calabouço, sala de tortura ou o que quer que fosse. Pensou que era um pesadelo incompreensível, que isso não podia estar acontecendo com ele e, também, que, muito embora tudo aquilo fosse uma monstruosa confusão, não havia mais tempo para esclarecer. Provavelmente ia morrer ou, pior, passar o resto da vida nesse cárcere. Estava com os olhos rasos de lágrimas, sentia uma enorme tristeza, um desânimo profundo. Então percebeu que uma daquelas figuras sem rosto, nua da cintura para cima, se movia no chão muito perto dos seus pés, vinha até ele e, pegando em seu rosto, sussurrava: "Quer que eu chupe você? Cinco soles". Sentiu que a mão do sujeito explorava sua braguilha na escuridão.

— Solte, solte, o que é isso! — gritou, levantando-se e tirando a mão do sujeito com um safanão. Houve uma súbita agitação em volta, corpos se mexendo e voltando a se acalmar quase no mesmo instante.

— Pior para você, branquinho — disse ao seu lado uma voz embaçada por um hálito espesso. — Se não gosta de ser chupado, então deve gostar de chupar. Ajoelhe-se entre as minhas pernas, abra bem a boca e comece a chupar isso aqui. Está molenga, mas fica duro num instante, se chupar com carinho.

Ele, tropeçando entre os corpos estendidos no chão, avançou na direção da porta. Bateu nela com os dois punhos, desesperado, gritando: "Guarda, guarda!". Ouviu umas risadinhas debochadas às suas costas. Ninguém tinha se mexido e nenhum guarda veio socorrê-lo.

Nisso sentiu ao seu lado, muito perto dele, um corpo grande e forte, que abraçou sua cintura com segurança e sussurrou-lhe no ouvido: "Não se assuste, branquinho, eu cuido de você". Sentiu o hálito forte do sujeito queimando seu rosto.

— Não tenho dinheiro — murmurou. — Tiraram minha carteira na Recepção.

Curiosamente, esse sujeito que o apertava pela cintura lhe transmitia certa segurança e atenuava o medo que o afligia. "Não faz mal, depois você me paga, você me inspira confiança, branquinho. Eu lhe dou crédito." Quique sentia as pernas tremerem e tinha certeza de que se aquele sujeito o soltasse ia se derramar pelo chão como um saco de batatas. "Venha, vamos nos sentar ali", disse em seu ouvido o homem forte que o apertava. Quique viu-se empurrado por trás, devagar, e avançou na escuridão sentindo seus pés roçarem nos corpos deitados no chão, alguns roncando, outros balbuciando incoerências. Ia repetindo como um mantra que aquilo não podia ser real, interpelando a Deus por castigá-lo desse jeito, perguntando-se o que tinha ocorrido no mundo para que ele, um homem de trabalho, de boa família, respeitado e bem-sucedido, estivesse ali, numa toca imunda da polícia, entre delinquentes, depravados e loucos. Às vezes esbarrava no banco da parede; o homem forte que o apertava deu uma ordem seca e abriu-se um espaço no banco para que os dois se sentassem. Devia ser um dos chefes ali porque todos obedeceram na hora. O homem forte mandou-o sentar e se sentou ao lado, bem encostado nele, ainda segurando sua cintura. Quique sentia aquele corpo junto ao seu e percebia que era muito forte. O medo atroz que o assolava começou a amainar. "Tudo bem, obrigado", murmurou, baixinho. "Por favor, me ajude com esses caras. Eu lhe pago depois, o que o senhor quiser."

Houve um momento de pausa e Quique sentiu que o homem forte aproximou o rosto — teve a sensação de que seu bafo hediondo lhe entrava pelo nariz e pela boca, dando-lhe enjoo — e lhe disse muito baixinho, quase um sussurro: "Você deu sorte, branquinho, porque eu me adiantei. Se aqueles morenos de lá tivessem levado você para um canto, já teriam arriado as suas calças, passado vaselina no seu cu e comido você à vontade, em fila indiana. E isso não seria o pior: pelo menos um deles tem aids. Mas não se preocupe. Enquanto estiver sob minha proteção, ninguém vai tocar em você. Aqui eu sou autoridade, branquinho".

Com o coração aos pulos, Quique sentiu que uma das mãos do cara forte largou sua cintura, mas não foi para lhe dar mais conforto, e sim para pegar sua mão direita e arrastá-la até a própria braguilha. Com horror Quique percebeu que estava aberta e que seus dedos tocavam um pau mais duro que uma pedra. Fez um movimento para se afastar, mas o homem forte o reteve, com brutalidade, amassando-o, ajudado pelo próprio peso, contra a parede. Agora sua voz tinha mudado, estava ameaçadora: "Toque uma punheta aqui, branquinho. Não quero machucar você, mas se não me obedecer vou ser obrigado. Eu lhe dou proteção, prometo. Agora toque logo uma punheta que estou de pau duro". Enojado, assustado, tremendo, Quique obedeceu. Segundos depois sentiu que o homem forte ejaculava. Ele estava com a mão, e certamente também a calça, manchada de sêmen. Em algum momento tinha começado a chorar. Corriam lágrimas em seu rosto, sentia uma vergonha horrível e muito nojo de si mesmo. "Perdão, perdão por ser tão covarde", pensava e nem sabia a quem estava pedindo que o perdoasse. Porque não acreditava mais em Deus nem em nada, talvez só no diabo. Qualquer coisa era preferível àquilo que estava acontecendo, até mesmo ser morto, até mesmo se matar.

Fechou os olhos e tentou dormir, mas estava tenso e assustado demais para entregar-se ao sono. Tentou se acalmar. Aquilo era uma confusão, um mal-entendido. Ele, Enrique Cárdenas, não podia ser humilhado como essa fauna imunda de ladrõezinhos, cafetões, vagabundos e veados que lotava este lugar pestilento, de degenerados e monstros. Ele era conhecido e importante demais para ser maltratado assim. Marisa com certeza tinha avisado a Luciano e os dois já deviam ter alertado todos os amigos influentes, e não só no Peru, os seus sócios mineradores, as instituições a que pertencia, já deviam ter acordado ministros, deputados, juízes, o Doutor, o presidente Fujimori, pedido liminares. Isso mesmo. Ia haver uma grande mobilização de gente, noite e dia, interessando-se pelo caso, intercedendo. Viriam tirá-lo dali, pedir desculpas. Ele diria que tudo bem. Desculpava, perdoava, esquecia. Mas, dentro do seu coração e da sua cabeça, nunca ia perdoar o canalha que o fizera passar por essas forcas caudinas, obrigando-o a viver esses dias e noites nojentos, entre pessoas repelentes, que o tinham ofendido, degradado e humilhado, e feito sentir o maior medo e a mais terrível vergonha da sua vida. Estava pegajosa a mão em que o filho da puta ao seu lado — agora parecia ter adormecido — tinha se esvaziado, e ele não se atrevia a pegar o lenço para limpar aquele sêmen seco com medo de que o sujeito acordasse e lhe exigisse outra coisa ainda pior que masturbá-lo. Sentia um desejo irreprimível de vingança, de fazer Fujimori e o Doutor pagarem caro por essa noite de horror. Porque tinham sido eles, sem a menor dúvida, eles mesmos que mandaram prendê-lo.

Nesse momento, divisou uma nesguinha de luz na única janela do lugar. Estava amanhecendo? Entre os barrotes, aquele resplendor cinza esbranquiçado o animou, diminuiu seu desespero. Sentiu coceira na cabeça e pensou que tinha pegado piolhos nessa pocilga. Quando saísse teria que raspar a cabeça e esfregar álcool no crânio careca; ouvira falar que era assim que despiolhavam os recrutas no quartel. Seria possível que aquilo estivesse mesmo acontecendo com ele? Sentiu que todos os seus músculos se relaxavam. "Não estou adormecendo", pensou, antes de perder a consciência. "Estou desmaiando." Dormindo ou desacordado, teve pesadelos que depois não conseguiria recordar com precisão, só que tudo à sua volta era noite fechada, um mundo de trevas, seus pés afundavam num lodo gelatinoso e bichos invisíveis lhe mordiscavam os tornozelos, como tinha acontecido naquela viagem à Amazônia, quando era estudante, quando os borrachudos, atravessando o couro das botas, tinham enchido de feridas seus tornozelos. Sentia cheiro de sêmen e ânsias de vômito, mas não conseguia vomitar.

Quando abriu os olhos, entrava luz pela grade da janela daquele recinto alongado e ele teve a sensação de estar vendo um filme impressionista, porque os vinte homens — velhos e jovens — que superlotavam o lugar pareciam caricaturas humanas. Peludos, cheios de cicatrizes, de tatuagens, alguns seminus e descalços, outros de chinelo, deitados no chão ou encolhidos no banco de cimento, dormindo de boca aberta, caolhos, desdentados, indiozinhos que olhavam tudo em volta assustados, zambos fornidos, mas sem sapatos e com macacões rasgados. O homem forte que tinha ejaculado sobre ele não estava mais ao seu lado. Qual desses pobres-diabos seria? Percebeu que ninguém parecia olhar para ele nem prestar-lhe atenção. Seus ossos doíam devido à posição incômoda. Sentia uma sede horrível, sua língua parecia uma lixa raspando as gengivas. Pensou que com uma xícara de chá ou de café se sentiria muito melhor. Ou se pudesse tomar um banho! O que iria acontecer com ele agora?

Não tinham tirado apenas sua carteira e o relógio na Recepção. A aliança também. Que horas deviam ser? Quantas horas fazia que estava nessa pocilga? Quanto tempo mais ficaria ali? Pensou que não ia passar outra noite naquele buraco, exposto às aberrações desses degenerados. Pelo menos nos dois primeiros dias, enquanto o interrogavam, tinha ficado num quartinho só para ele, com uma cadeira. Ia bater a cabeça na parede até quebrá-la e se esvair em sangue. Ia acabar com aquilo nem que fosse se suicidando. E então sentiu que o acordavam balançando seu braço. Tinha adormecido ou desmaiado de novo.

Viu a cara de um velho com uma barba toda emaranhada que parecia estar mascando coca. Ouviu que ele lhe dizia, num espanhol muito mastigado: "Estão chamando o senhor, moço". Apontou para a porta.

Não foi fácil levantar-se e muito menos começar a andar, esquivando os corpos dos homens deitados no chão que obstruíam o caminho. A porta estava fechada, mas quando bateu com os nós dos dedos ela se abriu com um som metálico. Viu a cara de um guarda armado com uma metralhadora e um capacete.

— Engenheiro Enrique Cárdenas? — perguntou o guarda.
— Sim, sou eu.
— Siga-me com tudo — disse o guarda.
— O que quer dizer com tudo? — perguntou.
— Sua bagagem.
— Minha bagagem é a roupa que estou usando.
— Está bem.

Teve que fazer um esforço para subir as escadas que não se lembrava de ter descido na noite anterior, quando o levaram para o calabouço. Precisou parar várias vezes e subir os dez ou quinze degraus apoiando-se na parede. No final da escada havia outra porta e depois um corredor, onde viu vários guardas fumando e conversando. Sentia um cansaço tão grande que não conseguia levantar os pés, ia se arrastando. Seu coração batia forte, e estava enjoado. "Tenho que resistir, não posso desmaiar outra vez."

Por fim, uma porta se abriu e entrou por ela a luz forte de um dia ensolarado. Divisou através da névoa que havia em seus olhos a silhueta de Marisa, tão bela, de Luciano, elegante como sempre, e tentou sorrir, mas suas pernas fraquejaram e sua cabeça escureceu. "Desmaiou", ouviu alguém dizer. "Chamem o enfermeiro, rápido."

xix. A Baixinha e o poder

A Baixinha sabia que podia acontecer. Mas nunca imaginou que ia ser assim e, principalmente, com quem. Desde que denunciou que seu chefe, Rolando Garro, o diretor da *Revelações*, provavelmente tinha sido assassinado por ordem do minerador Enrique Cárdenas, cujas fotos numa bacanal com prostitutas tinha publicado na revista, ela estava no centro das atenções: fotos, entrevistas em rádios, jornais, revistas e canais de televisão, e intermináveis interrogatórios na polícia, diante do promotor e do juiz de instrução. Graças à sua audácia e à gigantesca publicidade gerada pela denúncia, por ora ela se sentia a salvo. Tinha repetido até cansar em todas as entrevistas: "Se um carro me atropelar ou um bêbado partir minha cabeça na calçada, já sabem que mão estará por trás da minha morte: a mesma que pagou ao capanga que assassinou com tanta crueldade o meu chefe, professor e amigo Rolando Garro".

Mas será que agora sua vida estava realmente segura, com a publicidade que tinha? No momento, sem a menor dúvida. O que não impedia que, de noite, quando ia se deitar em sua casinha na avenida Tenente Arancibia, em Cinco Esquinas, de repente tivesse um ataque de pavor desses de congelar a coluna vertebral. Por quanto tempo mais continuaria a salvo graças à denúncia? Quando o caso deixasse de sair na imprensa, o perigo voltaria. Principalmente agora que o engenheiro Enrique Cárdenas, depois de ficar preso por alguns dias para ser interrogado, obtivera a liberdade provisória pelo juiz, mas com ordem de não sair do país.

Dessa vez o carro não chegou de noite, e sim ao amanhecer. Já havia uma fresta de luz na janela do seu quarto quando a Baixinha acordou ouvindo uma freada na rua, em frente ao beco onde morava. Pouco depois, ouviu batidas na porta. Eram três homens, os três à paisana.

— A senhorita vai ter que nos acompanhar, srta. Leguizamón — disse o mais velho, um cholo roliço que tinha um dente de ouro, e estava com um casaco de couro e um cachecol no pescoço; quando falava, mostrava a pontinha vermelha da língua como uma lagartixa.

— Aonde? — perguntou ela.

— Já vai saber — replicou o homem, com um sorriso que pretendia ser tranquilizador. — Não se assuste. Uma pessoa importante está à sua espera. Imagino que a senhorita seja inteligente o bastante para não recusar este convite, certo? Se quiser se lavar e se arrumar um pouco, não há problema. Nós esperamos aqui.

Lavou o rosto, escovou os dentes e se vestiu de qualquer jeito. Uma calça de brim, sandálias, uma blusa azul e a bolsa com seus papéis e canetas. Visita importante? Era uma armadilha, claro. No celular escreveu: "Três homens vieram me buscar. Não sei aonde estão me levando. Amigos jornalistas, fiquem atentos, pode me acontecer alguma coisa". Tentava se controlar e não demonstrar o medo que sentia. Teve a sensação de que aquele era um momento decisivo, desses que mudam uma vida ou acabam com ela. Será que foi uma boa aposta fazer essa denúncia, ou tinha amarrado uma corda em volta do próprio pescoço? Agora você vai saber, Baixinha. "Não tenho medo da morte", pensou, tremendo da cabeça aos pés. Mas temia que a fizessem sofrer. Será que iam torturá-la? Lembrou que tinha lido, em algum lugar, que o Doutor mandou injetar o vírus da aids em uns militares que conspiraram contra Fujimori. Sentiu umas gotinhas de xixi manchando sua calça.

O carro não foi para o centro de Lima; dobrou na plaza Italia, desceu pela avenida Huanta até a avenida Grau e depois, para sua surpresa, entrou na Panamericana, na direção das praias. Quando entraram na autoestrada do Sul, um dos homens entre os quais estava sentada lhe deu um capuz de tecido cru dizendo que era para cobrir a cabeça. Ajudou-a com a maior delicadeza a colocá-lo na cabeça. Não lhe puseram algemas nem amarraram suas mãos. O capuz era acolchoado, não raspava o rosto, provocava uma sensação suave, quase de carícia. Via tudo preto. Achou que tinham dado muitas voltas; afinal ouviu vozes e, após algum tempo, o carro freou. Eles a ajudaram a descer e, segurando-a pelos braços, a fizeram subir uns degraus e percorrer o que devia ser um longo corredor. Notou que a tratavam com consideração, tomando cuidado para que não tropeçasse nem esbarrasse em algum lugar. Finalmente ouviu que abriam e fechavam uma porta.

— Já pode tirar esse pano da cabeça — disse uma voz de homem.

Tirou, efetivamente, e a pessoa que estava à sua frente era quem ela havia pensado, devido à voz. Ele, ele mesmo. A surpresa foi tão grande que, agora, os joelhos da Baixinha tremiam mais que antes. Tinha certeza de que era ele? Apertou os dentes com força para que não batessem por causa do medo. Estavam num lugar sem janelas, com todas as luzes acesas, vários quadros de cores berrantes nas paredes, cadeiras e sofás, mesinhas com bibelôs, um tapete grosso que silenciava as pisadas. Não muito longe, ouvia-se o murmúrio de um mar agitado. Era aqui o famoso refúgio secreto de Praia Arica? A Baixinha não saía do seu assombro. Era ele, sem a menor dúvida, e a observava, intrigado, inspecionando-a com uma desfaçatez total, como se ela não fosse um ser humano, e sim um objeto ou um bichinho. Pousava nela seus olhos aguados de cor parda, um pouco esbugalhados, dos quais emanava um olhar glacial. Já o tinha visto em centenas de fotografias, mas agora parecia diferente: mais velho, mais baixo que alto, o cabelo que começava a ralear e deixava à mostra partes do seu crânio, as bochechas volumosas, a boca aberta numa careta de fastio ou desagrado, um corpo com sinais de obesidade no peito e na barriga. Então era aquele o amo e senhor do Peru. Não estava de uniforme militar, e sim à paisana, de calça marrom, mocassins sem meia e uma camisa amarela um pouco amarrotada, com estampa de estrelinhas. Tinha nas mãos uma xícara de café que, de vez em quando, levava à boca para beber um gole, sem interromper a minuciosa inspeção ocular que lhe fazia.

— Julieta Leguizamón — murmurou de repente, com uma voz pastosa, como se estivesse saindo ou entrando em uma gripe.
— A famosa Baixinha, de quem Garro tanto me falava. Sempre bem, aliás.

Apontou para uma mesa com xícaras, travessas, sucos e cafeteiras.

— Um suco de frutas, um café, torradas com geleia? — perguntou, secamente. — Este é o meu café da manhã. Mas se preferir outra coisa, ovos quentes, por exemplo, eles preparam na hora. Você é minha convidada e está em casa, Baixinha.

Ela não disse nada; tinha se acalmado um pouco e agora esperava, ainda assustada, que o famoso Doutor lhe dissesse por que a trouxera para lá. Mas ele continuava tomando seu café e mordendo umas torradas com geleia como se ela não estivesse mais ali. Quer dizer que era esse o famoso refúgio, o bunker que ele construiu numa das praias do sul. Segundo os boatos, ali se faziam grandes orgias.

O que sabia sobre ele? Não muito mais que o resto dos peruanos, na verdade. Que havia sido um cadete e um oficial do Exército obscuro até o golpe militar, do general Velasco Alvarado, de 3 de outubro de 1968, depois do qual se tornou ajudante do general Mercado Jarrín, responsável pelas Relações Exteriores no governo de facto. Estava nesse cargo quando o Exército descobriu que ele espionava e entregava segredos militares para a CIA. O regime de Velasco, que se proclamava socialista, havia estreitado as relações com a URSS, que se tornou nesses anos a principal fornecedora de armamentos ao Peru. O então capitão de artilharia foi preso, julgado, condenado, expulso do Exército e encarcerado numa prisão militar. Enquanto cumpria a pena, estudou direito e se formou como advogado. Foi nessa época que recebeu o apelido de Doutor. Depois que saiu da prisão, com uma anistia, ganhou certa notoriedade como advogado de traficantes, que tirava da prisão ou conseguia reduzir suas penas corrompendo ou intimidando juízes e promotores. Diziam que foi o homem no Peru de Pablo Escobar, o rei da droga na Colômbia. Ao que parece, chegou a conhecer o submundo da justiça como a palma da mão e a aproveitar em seu próprio benefício — e dos seus clientes — tudo o que havia de bagunça e de corrupção nos tribunais.

Mas a verdadeira sorte lhe veio, segundo a lenda que cercava sua figura, nas eleições de 1990, vencidas pelo engenheiro Alberto Fujimori. Entre o primeiro e o segundo turnos dessas eleições, a Marinha descobriu que Fujimori não era peruano, e sim japonês. Tinha chegado ao Peru com sua família de imigrantes e esta, para garantir seu futuro, como faziam muitas famílias de asiáticos com intenção de dar segurança aos seus descendentes, havia falsificado (ou comprado) uma certidão de nascimento que registrava seu aniversário no dia da Festa Nacional, 28 de julho. Também tinham forjado um batizado que formalmente confirmava sua nacionalidade peruana. Quando começou a circular na imprensa, entre as duas eleições, que em breve a Marinha de Guerra ia divulgar sua descoberta, Fujimori ficou apavorado. O fato de ser japonês anulava automaticamente sua candidatura, a Constituição era inequívoca quanto a isso. Foi nesse momento que ocorreu, ao que parece, o primeiro contato entre o referido Doutor e o candidato encurralado. O Doutor foi célere e genial. Em poucos dias sumiram todos os indícios da falsificação, e os chefes da Marinha que a descobriram foram subornados ou intimidados para ficarem calados e destruírem aquelas provas. Elas nunca apareceram. A certidão de batismo foi arrancada misteriosamente do livro de registros da paróquia e desapareceu para sempre. A partir de então, o Doutor passou a ser o braço direito de Fujimori e, como chefe do Serviço de Inteligência, presumível autor das piores atrocidades, negociatas, roubos e crimes políticos que vinham sendo cometidos no Peru havia quase dez anos. Dizia-se que a fortuna que ele e Fujimori possuíam no exterior era vertiginosa. O que esse demônio podia querer com uma pobre jornalista de espetáculos, redatora de um jornaleco de pouca expressão que, ainda por cima, tinha acabado de perder tragicamente seu diretor?

— Suco e café está ótimo, Doutor — articulou a Baixinha, quase sem voz. Não estava mais assustada, e sim estupefata. Por que a tinha trazido para cá? Por que ela estava na frente do homem mais poderoso e mais misterioso do Peru? Por que o chefe do Serviço de Inteligência a tratava com tanta familiaridade e falava de Rolando Garro como se os dois tivessem sido íntimos? Seu chefe nunca havia sequer mencionado que conhecia aquele personagem. Se bem que, às vezes, falava dele com uma indisfarçável admiração: "Fujimori pode ser o presidente, mas quem manda e desmanda é o Doutor". Então os dois se conheciam. Por que Rolando nunca lhe disse nada?

— Eu ainda não dormi, Baixinha — afirmou, bocejando, e ela percebeu que o Doutor estava com os olhos fundos e avermelhados por causa da noite em claro. — Muito trabalho. Só de noite é que posso me concentrar nas coisas importantes, sem me interromperem com bobagens de todo tipo.

Fez um silêncio e olhou-a da cabeça aos pés, devagar, expurgando-a de novo, como se quisesse descobrir as coisas mais secretas que ela guardava na memória e no coração.

— Sabe por que estou olhando assim para você, Baixinha? — disse o Doutor, adivinhando seu pensamento. Falava com uma entonação que às vezes deixava transparecer o sotaque de Arequipa. Agora sorria com amabilidade, para tranquilizá-la. — Porque parece até mentira que você, pequenina como é, tenha colhões tão grandes. Quer dizer, ovários tão grandes, desculpe. E desculpe também pela grosseria.

Festejou as próprias palavras com uma risadinha que enrugou seu rosto, mas ela não riu. Tinha cravado seus grandes olhos imóveis nesse personagem poderoso e não agradeceu o elogio inesperado que acabara de receber. Ia se lembrando: "Ele já deve ser o homem mais rico do Peru e, também, aquele que manda matar com a voz e a mão firmes", disse-lhe um dia Rolando Garro.

— Acusar o engenheiro Enrique Cárdenas de assassino! — exclamou ele, saboreando devagar o que dizia e num tonzinho de voz que queria mostrar respeito e admiração pela Baixinha. — Você sabe que ele é um dos homens mais poderosos do Peru, não sabe? Que, pela maldade que você lhe fez, poderia liquidá-la num piscar de olhos?

— Fiz aquilo para que ele não mandasse me matar também, como mandou matar Rolando Garro — disse ela, falando devagar, sem deixar a voz tremer. — Depois da minha denúncia, não podia me fazer nada; minha morte teria quase a assinatura dele.

— Certo, certo — respondeu, tomando outro gole de café e passando-lhe a xícara em que também acabava de servir para ela um café americano com um bocadinho de creme. — Você sabe muito bem o que faz e não lhe faltam coragem nem miolos, Baixinha. Desta vez se enganou, mas não tem importância. Quer saber uma coisa que vai achar surpreendente? Venho seguindo a sua pista há algum tempo, e você é direitinho como eu imaginava. Até melhor. Sabe por que mandei chamá-la aqui?

— Para que retire minha acusação contra o engenheiro Cárdenas — respondeu ela de imediato, com absoluta certeza.

Viu que o Doutor, após um instante de desconcerto, começou a rir. Uma risada franca, aberta, que, de novo, a tranquilizou. Sentiu que não estava mais em perigo, apesar de estar ali e com aquele homem. Lembrou que Rolando Garro também lhe disse, um dia: "Dizem que é cruel, mas generoso com aqueles que o ajudam a matar e a roubar: estes também ficam ricos".

— Na verdade, simpatizei com você, Baixinha — disse o Doutor, agora sério e esquadrinhando-a com o olhar amarelado, inquisitivo mas sem luz, dos seus olhos cansados. — Eu já suspeitava, pelo que Rolando me falou de você, mas agora tenho certeza: nós fomos feitos para nos entendermos bem. Isso mesmo, minha querida Julieta Leguizamón.

— Não foi para isso que mandou me chamar? — perguntou ela.

— Não — respondeu ele de imediato, negando com a cabeça ao mesmo tempo. — Mas, na verdade, já que você tocou no assunto, seria bom para nós dois que desmentisse essa acusação o quanto antes. Deixe o pobre milionário desfrutar em paz suas minas e seus milhões. Não vai haver problema. O procedimento é simples. Diga ao juiz que você estava muito abalada pela morte do seu chefe e grande amigo, o diretor da revista. Que estava fora de si quando fez essa acusação absurda. Não se preocupe, o engenheiro não vai lhe fazer nada. Mandei um bom advogado ajudá-la em todos os passos. Você não tem que pagar um centavo, naturalmente. Eu me encarrego disso também. É melhor para nós desmentir, Baixinha. Sim, isso mesmo: para você e para mim. Além de tudo, assim já vamos começando a trabalhar juntos. Mas, enfim, não é por esse motivo que você está aqui.

Ficou calado, observando-a e bebendo golinhos de uma segunda xícara de café. A Baixinha ouviu o som do mar; parecia que se aproximava, parecia que ia irromper na sala, e depois se retirava e se apagava.

— Se não foi por isso, a que devo então a honra de estar aqui, Doutor? E de que o senhor tenha me trazido nada menos que para o seu tão falado refúgio secreto na praia?

Ele fez que sim, agora sério, escondendo com a mão mais um bocejo. A Baixinha viu uma luz amarela ardendo nos seus olhos cansados e notou que sua voz estava diferente: agora dava ordens, e já não havia qualquer sinal de amabilidade em suas palavras.

— Como você há de imaginar, não posso perder tempo ouvindo mentiras, Baixinha. Então, por favor, quero que me conte com franqueza total e limite-se aos fatos concretos. Entendido?

A Baixinha concordou. Ao ver a entonação do Doutor mudar, voltou a ficar assustada. Mas, no fundo do coração, alguma coisa lhe dizia que não estava mais em perigo; que, pelo contrário, misteriosamente essa visita abria para ela uma oportunidade que não devia desperdiçar. Sua vida podia mudar para melhor se aproveitasse a ocasião.

— Essa história das fotografias que Garro publicou na *Revelações* — disse o Doutor. — As do engenheiro Cárdenas, pelado, se divertindo com umas prostitutas em Chosica. Me conte essa história.

— Só posso contar o que eu sei, Doutor — disse ela, ganhando tempo.

— Com todos os detalhes e sem conversa fiada — precisou ele, muito sério. — Repito: fatos concretos e nada de conjeturas.

A Baixinha entendeu na mesma hora que não tinha alternativa. E então contou a estrita verdade com todos os detalhes. Desde que, um par de meses antes, um belo dia Ceferino Argüello, o fotógrafo da *Revelações*, veio à sua mesa na redação da revista com um ar misterioso. Queria conversar a sós: era um assunto confidencial, ninguém mais do semanário podia saber. Ela nunca iria imaginar que o coitadinho do Ceferino Argüello, tão apoucadinho, tão respeitoso, tão tímido, tão sofrido que não só o diretor, mas qualquer redator da revista podia se dar ao luxo de desprezá-lo, maltratá-lo e increpá-lo a qualquer pretexto, tivesse algo tão explosivo nas mãos.

Por volta das cinco da tarde, a Baixinha e Ceferino foram fazer um lanche no La Delicia Criolla, estabelecimento da sra. Mendieta, situado na esquina da rua Irribarren, não muito longe da delegacia policial de Surquillo. Pediram dois cafés com leite e dois sanduíches de torresmo com cebola e pimentão. A Baixinha, achando graça, viu que o fotógrafo torcia as mãos antes de falar, empalidecia, abria e fechava a boca, sem coragem de dizer uma palavra.

— Se você está assim na dúvida, é melhor não me contar nada, Ceferino — sussurrou-lhe. — Tomamos o nosso lanche, esquecemos o assunto e continuamos amigos como sempre.

— Quero que dê uma olhada nestas fotos, Baixinha — balbuciou Ceferino, espiando desconfiado em volta. Entregou a ela uma pasta presa com dois elásticos amarelos. — Cuidado, ninguém mais pode ver.

— Eram as fotos que Garro publicou na *Revelações*? — interrompeu o Doutor.

A Baixinha confirmou.

— E como foi que chegaram às mãos do tal Ceferino? — perguntou ele. Estava muito atento, agora seu olhar parecia perfurá-la.

— Foi ele mesmo quem tirou as fotos — disse a Baixinha. — Foi contratado pelo sujeito que organizou a bacanal. Um estrangeiro, parece.

— O sr. Kosut — sussurrou Ceferino Argüello, tão baixinho que Julieta teve que chegar um pouco mais perto para poder ouvir. Ainda estava com o rosto em brasa pelo choque que aquelas fotos lhe causaram. — Eu já tinha feito outros serviços meio escabrosos para ele. Gostava de ser fotografado na cama com mulheres. E queria muitas fotos daquela cilada, sem que o sujeito percebesse. Um figurão, um cara importante, cheio da grana, disse ele. Levou-me antes à tal casa em Chosica, para preparar tudo. Ou seja, os esconderijos de onde eu poderia tirar as fotos. Vimos até a melhor maneira de colocar a luz. Gastei não sei quanto em rolos de filme. Estava acertado que ele pagaria todo o material e mais quinhentos dólares pelo meu trabalho. Mas me deu um calote. Morava no Hotel Sheraton. E, de repente, sumiu. Evaporou, é. Saiu do hotel e sumiu. Nunca mais eu soube nada dele. Até hoje.

— Quanto tempo tinha passado? — perguntou o Doutor.

— Dois anos já, Baixinha — disse Ceferino. — Dois anos, imagine. Eu estou na pindaíba. Pensei que o sr. Kosut ia voltar, mas não apareceu mais. Talvez esteja morto, sabe-se lá o que houve com ele. Eu tenho mulher e três filhos, Julieta. Você acha que se pode fazer alguma coisa com essas fotos? Para eu ganhar um dinheirinho, quero dizer. E, pelo menos, recuperar o que investi.

— Isto aí é um caso muito sério, Ceferino — disse a Baixinha, preocupada, abaixando a voz. — Você não sabe quem é esse homem que fotografou fazendo essas porcarias?

— Sei perfeitamente, Baixinha — disse Ceferino, num sussurro quase inaudível. — Foi por isso mesmo que perguntei. Será que um sujeito tão importante não poderia me pagar muito bem por estas fotos que o deixam tão encrencado?

— Quer chantagear esse endinheirado? — riu a Baixinha, assombrada. — Você, Ceferino? Teria mesmo coragem? Você sabe o risco que corre chantageando um cara tão influente com uma coisa assim?

— Teria coragem com a sua ajuda, Baixinha — balbuciou Ceferino. — Eu não sou muito ousado, é verdade. Mas você é, até demais. Talvez pudéssemos ganhar um dinheirinho juntos, não gostaria?

— Muito obrigada, Ceferino, mas a resposta é não — disse a Baixinha, de forma terminante. — Eu sou jornalista, não chantagista. Além disso, conheço os meus limites. Sei com quem posso me meter e com quem não. Tenho ousadia, é verdade, mas não sou masoquista nem suicida.

Tinha uma das fotos da bacanal na mão; olhava para ela com desagrado e, ao mesmo tempo, com uma sensação esquisita. Podia ser inveja o que estava sentindo? Tinha certeza de que nunca na vida ia fazer com um homem as coisas que essa puta fazia, nunca ia participar de um entrevero como aquele sendo comida por vários e por todos os lados. Lamentava isso? Não: sentia nojo, vontade de vomitar.

— Em todo caso, Ceferino, se você quer um conselho, seria melhor consultar o chefe. Fale com ele, conte a história do tal Kosut. Ele conhece essas coisas melhor que você e eu. Talvez possa lhe ajudar a ganhar o dinheirinho de que está precisando.

— E então você e Ceferino foram levar as fotos para Rolando Garro e contar a história de Chosica — adiantou-se o Doutor, com certeza do que afirmava. — E Garro decidiu chantagear o engenheiro Enrique Cárdenas sem pedir minha autorização nem me avisar do assunto. Sabe quanto ele pediu?

A Baixinha engoliu saliva antes de responder. Por que Rolando Garro tinha que pedir autorização ao chefe do Serviço de Inteligência para fazer o que tinha feito? Então Rolando trabalhava mesmo para esse sujeito? Era mesmo verdade aquilo que ela sempre havia pensado ser um boato espalhado pelos inimigos do seu chefe? Que ele trabalhava para aquele, que era um dos seus mastins jornalísticos?

— Na verdade não foi uma chantagem, Doutor — insinuou a Baixinha, escolhendo cuidadosamente as palavras, pensando que se dissesse algo inadequado podia ficar numa situação difícil. — Mostrou as fotos para animá-lo a investir na revista. Era o sonho de Rolando, se o senhor o conheceu deve saber. Transformar a *Revelações* num grande semanário, mais famoso e bem vendido que *Oiga* ou *Caretas*. Rolando acreditava que se o engenheiro Cárdenas se tornasse acionista ou, ainda melhor, presidente do conselho da *Revelações*, todas as agências de publicidade passariam a publicar anúncios, porque a imagem do semanário teria mais prestígio.

— Sonhar não custa nada — murmurou o Doutor, entre os dentes. — O que demonstra que Rolando Garro era muito menos inteligente do que se pensava. Mas você ainda não respondeu à minha pergunta. Quanto ele pediu?

— Cem mil dólares para começar — disse a Baixinha. — Como primeiro investimento. Depois, quando o engenheiro visse que as coisas iam bem, pediria mais. Para mostrar que jogava limpo, Rolando lhe disse que ele mesmo podia nomear um gerente, um auditor, para controlar como se gastava essa nova injeção de capital.

— Foi essa a besteira do Garro — disse o Doutor, compungido. — Não querer chantageá-lo e pedir essa quantia ridícula. Se em vez de cem tivesse pedido meio milhão, talvez ainda estivesse vivo. A insignificância das suas ambições o derrotou. E então o minerador, em vez de aceitar, o expulsou do seu escritório?

— E o tratou muito mal — confirmou a Baixinha; não entendia bem o sentido do que o Doutor dizia, mas agora tinha certeza de que entre ele e seu chefe havia uma cumplicidade bem maior do que poderia suspeitar. E não só jornalística, alguma coisa mais suja também. — Ele o xingou, dizendo que nunca daria um tostão para aquele pasquim asqueroso. E o botou para fora do escritório ameaçando dar-lhe uns pontapés no traseiro se não saísse dali a galope.

— E então, magoado e humilhado, o imbecil publicou as fotos da bacanal — concluiu o Doutor, bocejando de novo e fazendo um gesto de fastio. — Ele se deixou levar pela ira e fez a pior besteira da sua vida. Pagou caro, você viu. E olhe que eu avisei.

Encarou a Baixinha por longo tempo, em silêncio; ela não piscou nem fechou os olhos. Por que o Doutor lhe dizia essas coisas? O que queria exatamente que ela soubesse? Que tipo de ameaça ou advertência estava fazendo com as coisas que lhe contava e os segredos que revelava? Começou a tremer novamente. Ouvir o que estava ouvindo a deixava de novo numa situação de perigo.

— Não sei o que o senhor está tentando me dizer, Doutor — murmurou. — Não quero saber de mais nada, eu lhe peço. Sou apenas uma jornalista que quer viver e trabalhar em paz. Não me conte nada que ponha minha vida em risco, por favor.

— Rolando fez coisas que não devia ter feito — disse o Doutor, sem desviar a vista, como se não tivesse ouvido. Falava com uma postura filosófica, enquanto tomava mais um gole do café. — Em primeiro lugar, tentou chantagear o milionário pela ninharia de cem mil dólares. Depois, publicou aquelas fotos por conta de um chilique estúpido. E, principalmente, se comportou de forma irresponsável, sem me avisar o que pretendia fazer. Se tivesse agido com mais lealdade comigo, com mais serenidade, como se devem fazer as coisas, ele estaria vivo e talvez até fizesse um bom negócio.

— Por favor, não me diga mais nada, Doutor — suplicou a Baixinha. — Estou lhe implorando, não quero saber mais uma palavra sobre este assunto.

O Doutor fez uma expressão estranha sem tirar a vista da Baixinha, e esta achou que, de repente, estava hesitando.

— Como você vai trabalhar para mim, precisa saber de certas coisas — murmurou, levantando os ombros, sem dar muita importância ao caso. — Precisa se comprometer. Eu confio na sua discrição. Por interesse próprio, é bom você guardar a sete chaves tudo o que ouvir aqui. Muda como um túmulo.

— Certo, Doutor — concordou a Baixinha. E, quase sem transição, sabendo muito bem que não deveria fazer essa pergunta, acrescentou: — O senhor acha que Enrique Cárdenas mandou matá-lo?

O Doutor balançou a cabeça, negando.

— Ele não tem coragem para matar ninguém, é um molenga, um garoto mimado — afirmou, levantando os ombros de novo, num gesto depreciativo. — A essa altura já não tem a menor importância saber quem o matou, Baixinha. Rolando apostou errado e pagou por isso. Bem, não podemos perder mais tempo, vamos ao ponto. O que vai acontecer com a *Revelações*?

— Vai acabar — disse ela. — Que outro destino poderia ter a revista, sem Rolando?

— Poderia ressurgir com você na direção, por exemplo — respondeu imediatamente o Doutor, olhando-a com um brilho irônico nos olhos. — Tem capacidade para isso? Rolando achava que sim. Vou levar a sério essa boa opinião dele a seu respeito. Estou disposto a ajudá-la e a sustentar a revista. Decida sozinha quanto quer ganhar como diretora. Nós dois vamos nos ver pouco. Eu quero aprovar o número diagramado antes de ir para a gráfica e, às vezes, fazer as manchetes. Sou bom mancheteiro, pode acreditar. Só vamos nos encontrar em casos excepcionais. Mas teremos um contato semanal, por telefone, ou, se o caso for delicado, por intermédio de um mensageiro. O capitão Félix Madueño, não esqueça esse nome. Eu lhe direi quem tem que investigar, quem tem que defender e, principalmente, quem tem que foder. Peço desculpas outra vez pela grosseria. Mas repito, porque é a parte mais importante das suas obrigações comigo: foder quem quer foder o Peru. Como Rolando Garro fazia muito bem. Só isso, por enquanto. Fique sabendo, de hoje em diante você vai se dar muito bem. Mas não esqueça a lição: eu perdoo tudo, menos os traidores. Exijo lealdade absoluta dos meus colaboradores. Entendido, Baixinha? Até logo, então, e boa sorte.

Dessa vez, em vez de apertar sua mão, o Doutor se despediu dela com um beijo no rosto. Enquanto a Baixinha, encapuzada de novo, desandava o corredor, as escadas, e entrava no carro, sentiu o coração batendo com muita força. Estava assustada e exaltada, horrorizada e esperançosa. Em sua cabeça se cruzavam ideias e impulsos contraditórios. Por exemplo, organizar uma entrevista coletiva e, diante de uma sala repleta de jornalistas, sacudida pelos flashes dos fotógrafos, pedir desculpas públicas ao engenheiro Enrique Cárdenas e afirmar que o verdadeiro assassino de Rolando Garro era o Doutor, um gênio do mal. Um segundo depois, já se via sentada na cadeira do falecido diretor do semanário, chamando os redatores para preparar a edição da semana e cogitando quando iria se mudar, em que bairro se instalaria, como ia ser bom saber que nunca mais — nunca mais — precisaria pôr os pés nos becos caindo aos pedaços de Cinco Esquinas.

xx. Um redemoinho

— Relaxa, Quique, pelo amor de Deus — disse Luciano, dando uma palmadinha afetuosa no amigo. — Não aguento mais ver essa sua cara de cachorro espancado.

— Você está me machucando — Marisa tentava afastar o rosto da amiga, mas Chabela, que era mais forte, não retrocedeu e continuou mordendo seus lábios e amassando-a com todo o peso do seu corpo. — Posso saber o que você tem, doidinha, o que está havendo?

— A única coisa que peço aos meus colaboradores é lealdade — repetiu o Doutor, pela décima vez, batendo na mesa com a palma da mão. — Uma fidelidade canina, eu já disse e vou repetir quantas vezes for preciso, Baixinha.

— Estou relaxado, estou tranquilo, Luciano, pode ter certeza — afirmou Quique. Mas a amargura em seu rosto, o ricto em sua boca e o tom da sua voz desmentiam essas palavras. — Não me dá vontade de pular de alegria, nem de gritar hurras, claro. Mas, agora que já passou o pior, estou me recuperando. Juro por Deus, Luciano.

— O que está havendo comigo? — Chabela afinal se desprendeu da boca da amiga e fulminou-a com os olhos. — Quer mesmo saber? Estou com ciúmes, Marisa, é isso o que eu tenho. Porque de repente você virou uma gueixa do Quique. A putinha do marido. Pelo andar da carruagem, a qualquer hora vai me despedir como se despede uma empregada.

— Não sei por que está dizendo isto, Doutor — murmurou a Baixinha, surpresa. — Acho que estou cumprindo muito bem o que combinamos. Para mim é o mais importante, pode acreditar. Que o senhor fique satisfeito com o meu trabalho.

— Digo isso porque não quero que jamais aconteça com você o que aconteceu com Rolando Garro — abrandou seu mau humor o Doutor. — É uma advertência, não uma repreensão.

Marisa soltou uma gargalhada e jogou os braços em volta do pescoço de Chabela, obrigou-a a abaixar a cabeça e beijou-a de boca aberta, sorvendo sua saliva com fruição. Depois afastou-a e, ainda enlaçando seu pescoço, murmurou, sorrindo:

— É a primeira cena de ciúmes que você me faz. Não sabe como estão brilhando nesse momento esses seus olhos de azeviche. Pretos, pretíssimos e, lá no fundo, uma listrinha azul. Eu amo esses olhos!

— Está tentando me subornar com seus galanteios, desgraçadinha? — balbuciou Chabela, beijando-a também.

Ambas estavam nuas, Chabela montada em cima de Marisa, as duas transpirando da cabeça aos pés. A sauna parecia queimar. As madeiras do pequeno recinto, úmidas com o calor, exalavam um aroma de eucalipto; havia no ambiente uma atmosfera entre humana e vegetal.

— Um brinde pela felicidade, amigas e amigos — disse o sr. Kosut, levantando sua taça. — *Bottoms up!* Aqui se diz vira, vira, vira, eu já aprendi! Então, vira, vira, vira!

— Não é bem assim, Quique — corrigiu Luciano, sorrindo com afeto. — Foi uma experiência horrível, sem dúvida, mas você tem que superar psicologicamente, tirar isso do seu espírito. O mais importante é que já passou. Ficou para trás, irmão. Quem fala agora do escândalo, das fotos de Chosica? Todo mundo já esqueceu, vieram outras coisas, outros escândalos já soterraram aquilo que aconteceu. Agora está livre disso. Alguém parou de falar com você? Só dois ou três imbecis, e foi até melhor se livrar deles. Não continua com os mesmos amigos de sempre? E Rolando Garro, morto e enterrado. O que mais você quer?

— Pode estar morto e enterrado — interrompeu Quique —, mas a *Revelações* voltou a sair, com papel melhor e o dobro de fotos que antes. E a diretora é ninguém menos que Julieta Leguizamón, asseclã e discípula de Garro quando atiraram em mim um monte de calúnias e de merda. A tal que me acusou de ter mandado um bandido matar Garro! Você acha pouco? Acredita mesmo que com tudo isso eu posso estar tranquilo e feliz, Luciano?

— Nunca mais você vai ser mencionado nesse pasquim, Quique. O Doutor se comprometeu e está cumprindo. Aquela mulherzinha se retratou e pediu desculpas na própria revista. O inquérito foi encerrado para sempre. Daqui a um tempinho vamos dar um jeito de que desapareça, não vai sobrar qualquer rastro dessa história nos arquivos judiciais. Tudo vai ficar enterrado. Esqueça. Dedique seu tempo ao trabalho, à família. É com essas coisas que você deve se preocupar agora, velho.

— A verdade, nua e crua, é que Rolando Garro se portou mal, foi desleal, me desobedeceu — disse o Doutor, acalorado de novo. Olhava para a Baixinha como se quisesse eliminá-la com seus olhinhos pardos e aquosos. — Eu proibi terminantemente que ele publicasse na revista as fotos da orgia desse figurão. Sei escolher meus inimigos. Não se desafia quem é mais poderoso que você mesmo. Rolando me enganou, disse que tinha rasgado as fotografias e, de repente, as publicou. Podia ter me metido numa confusão do cacete. Entende o que estou querendo lhe dizer, Baixinha?

— Senhoritas, tirem essas roupas desconfortáveis e venham mostrar-nos os seus segredos — disse o sr. Kosut, voltando a encher ele mesmo as taças de champanhe vazias. Falava um bom castelhano, com sotaque da Espanha.

— Me deixa beijar onde você gosta, amor — sussurrou Marisa no ouvido de Chabela. — Adorei a sua cena de ciúmes, é uma prova de que me ama de verdade. Quero fazer você gozar, quero beber seus sucos, sentir seus arquejos enquanto está gozando.

Chabela concordou, sem responder. Ajudou-a a sair de baixo do seu corpo, descer para o degrau de baixo da sauna, meter a cabeça entre suas coxas e, ao mesmo tempo, se virou e abriu as pernas. Marisa, sentando-se ao contrário no degrau de baixo, meteu a cabeça entre as coxas da amiga e, com a língua ativa, começou a lamber os lábios do seu sexo; devagarzinho, persistente e ansiosa, com amor, demorando para chegar ao clitóris.

— Tive ciúmes, sim, Marisita — ia dizendo Chabela, enquanto sentia o calor subindo por seu corpo e um tremorzinho correr pelas coxas, pela barriga, e chegar até a cabeça. — Você está carinhosa com o Quique como eu nunca tinha visto. Fica se encostando nele, dando beijinhos na frente de Luciano e de mim, passam o tempo todo de mãos dadas. Assim você me faz trocar o amor pelo ódio, fique avisada. Aí, aí mesmo, coração, aí. Mais devagarzinho, por favor. Estou adorando, amor, não me faça gozar ainda.

— Você, senhorita, sente-se em cima do meu falo, pênis ou pica, como dizem os nativos — pediu e ordenou com uma cortesia pomposa o sr. Kosut. — E você, venha aqui, lourinha, ajoelhe-se e me dê seu sexo. Não tem importância se não estiver muito limpo, esses detalhes não me interessam. Se estiver cheirando a queijo parmesão, melhor, rá, rá. Saiba que vou lhe fazer aquilo que os franceses chamam de minete e os espanhóis, sempre tão vulgares, acho que mamada. Os peruaninhos, como dizem?

— Uma chupadinha — riu Licia ou Ligia. — Cornetinha é ao contrário.

O champanhe tinha começado a fazer efeito em Enrique Cárdenas. Ele não bebia muito; não gostava e nunca se dera bem com o álcool. Além do mais, estava meio atordoado com tudo o que via. Entretanto, algo diferente tinha começado a se insinuar nele. Até aquele momento estava desconcertado, confuso, assombrado, sem saber como se comportar diante do que estava ocorrendo à sua volta. Agora sentia uma comichão excitada na braguilha. "Quer uma ajudinha para tirar a roupa, benzinho?", disse uma das gordas entre as quais estava sentado.

— Não sei por que me diz tudo isso, Doutor — murmurou a Baixinha, fingindo manter o sangue-frio de sempre. Mas estava preocupada. Nada daquilo lhe parecia normal. Que erro havia cometido? Qual era o intuito dessas confidências descabeladas do Doutor? Foi ele então o mandante da morte de Rolando? Nesse caso, estava de novo em perigo. Aquelas confidências faziam dela uma cúmplice. Tinha envidado todos os esforços do mundo para cumprir as instruções do Doutor, e até agora ele só a elogiara. — Eu tento cumprir suas ordens em todos os detalhes, Doutor.

— Digo isso porque considero você uma colaboradora magnífica — sorriu-lhe o rosto cansado do Doutor, e o sorriso inflou suas bochechas. — Não quero me privar nunca dos seus serviços, Baixinha. Nem, muito menos, ter que castigá-la por traição e deslealdade. Sim, sim, já sei o que está pensando. De fato, não quero que um dia lhe aconteça o que aconteceu com Rolando Garro.

A Baixinha sentiu o coração parar. Ele tinha dado a ordem, era ele o mandante. Sabia que estava muito pálida, batendo os dentes. Seus grandes olhos imóveis estavam cravados no Doutor. Este fez uma cara de preocupação.

— Eu não devia ter dito assim, sei que você fica triste, mas era indispensável que você soubesse o que está em jogo, Baixinha — disse, devagar e muito sério. — Algo maior que você e eu. O poder. Com o poder não se brinca, amiguinha. As coisas sempre são, afinal, uma questão de vida ou morte quando o poder está em jogo. Ao fazer o que eu tinha proibido, chantageando esse milionário, ele me comprometeu. Viu um galho, não o bosque. Quase derrubou tudo o que eu construí, quase me afundou, acabou comigo. Você entende? Tive que fazer aquilo, com dor no coração.

— Matá-lo com tanta crueldade? — rosnou a Baixinha, como se sua garganta de repente estivesse obstruída. — Despedaçá-lo assim? Só porque desobedeceu?

— Eles se excederam, é verdade, e isso foi errado, já os repreendi e multei — reconheceu o Doutor. — As pessoas que realizam essas atividades não são seres normais como você e eu. São selvagens, acostumados a matar, umas feras desalmadas. Às vezes, passam dos limites. Com Rolando passaram. Eu lamentei muito, acredite.

— Não sei por que o senhor me conta essas coisas, Doutor. Estou muito assustada, para dizer a verdade.

— Conto porque confio em você, que já é minha principal colaboradora, Baixinha. Por isso agora tem o salário mais alto da sua vida e todo mundo a teme e respeita — suavizou a voz o Doutor. — Foi assim que pôde sair do quartinho de Cinco Esquinas e se mudar para Miraflores. E comprar vestidos e móveis. Então, as coisas entre nós devem ser muito claras. Somos amigos e cúmplices. Se um de nós afundar, o outro afunda também. Se eu for para cima, você vai também. Então já sabe, fidelidade total, é isso que eu espero de você.

E agora vamos trabalhar. Como anda o caso do deputado Arrieta Salomón? É a primeira prioridade.

— Não ligo para o que me custou limpar toda essa imundície, Luciano — afirmou Quique. — Mas as feridas que ficaram na minha memória e no meu sentimento não vão se apagar nunca, irmão. Juro pela minha pobre mãe, que em paz descanse. Meus irmãos opinam que ela morreu por causa da tristeza e da amargura que o escândalo lhe causou. Eles têm razão, claro. O que significa que fui eu mesmo que matei minha pobre mãezinha, Luciano. Você acha que algum dia vou poder me perdoar por essa morte?

— Aí, aí — ofegou Chabela com a meia voz que tinha agora. — Estou gozando, gringuinha.

E pouco depois sentiu que Marisa se levantava abraçando-a, procurava sua boca e lhe passava o bocado de saliva que tinha guardado para ela. "Beba estes suquinhos deliciosos que eu tiro de você quando chupo", ordenou-lhe. E, obediente, Chabela engoliu. As duas se abraçaram e se beijaram mais uma vez e, depois, Marisa disse em seu ouvido com a voz densa de quando estava excitada:

— Não precisa ter ciúme, Chabelita, porque quando eu e Quique fazemos amor você sempre está lá, entre nós dois.

— Que bobagem você está dizendo! — Chabela, alarmada, pegou a cabeça de Marisa com as duas mãos e afastou-a alguns centímetros do seu rosto. — Você não contou a Quique que...

Marisa enlaçou seu pescoço e lhe disse com a boca colada na sua e enfiando-lhe as palavras entre os dentes:

— Sim, contei tudo. Ele fica excitadíssimo, e por isso toda vez que fazemos amor você está lá, fazendo umas sacanagenzinhas com a gente.

— Eu vou matar você, juro que vou, Marisa — exclamou a amiga, sem saber se devia acreditar ou não, com uma das mãos levantada que, de repente, deixou cair. Mas, em vez de bater na amiga, tateou entre suas pernas, pegou em seu sexo e apertou.

— Mais de levinho, está doendo — protestou Marisa, ronronando.

— Passe umas pitadas de pó no pênis e mande mais um pouco no nariz — disse o sr. Kosut, como um médico receitando a um doente. —Vai ficar novinho em folha, poderá meter na bunda, no sexo e na boca dessas moçoilas que estão no seu colo, meu senhor.

— Será que as patroas vão passar a manhã toda na sauna? — perguntou Luciano, consultando o relógio. — Para dizer a verdade, já estou com fome. Você não, velho?

— Deixe as duas se divertirem — respondeu Quique. — Elas são assim mesmo. Nada disso as afeta muito, ficam preocupadas por um tempinho e depois voltam a se interessar por vestidos, fofocas, compras e sei lá o que mais. É uma sorte serem tão frívolas.

— Não é bem assim, velho — replicou Luciano. — Chabela já nem dorme direito por causa do terrorismo. Vive obcecada com a ideia de que esses malditos vão me sequestrar, como fizeram com Cachito, ou, pior, sequestrar as nossas filhas. A coitada precisa tomar um comprimido para não passar a noite em claro.

— Quer saber o que não me deixa dormir, Luciano? — disse Quique. E continuou, em voz baixa, como se alguém mais pudesse ouvi-lo naquele amplo e deserto jardim onde, ao longe, brincavam os dois cachorros: — Acho que muitas coisas não ficaram nada claras nessa história. A primeira é que esse pobre-diabo, um velhinho esclerosado como Juan Peineta, seja o assassino de Rolando Garro. Você engoliu essa história? Eu não.

— Mas ele mesmo não se declarou culpado? — replicou Luciano, depois de hesitar um pouco. — Não é um sujeito que passou a vida toda mandando insultos e ameaças a Rolando Garro? Dezenas dessas cartas foram apresentadas no julgamento, não foram? Não seja mais papista que o papa, Quique.

— Ninguém acreditou nessa confissão, Luciano. Quem vai acreditar que uma ruína humana como aquele pobre recitador tenha cometido um assassinato tão horrível.

— Seja como for, temos que ser realistas. O importante são os resultados. Você era o principal interessado em que o assassino do jornalista fosse encontrado, para que o deixassem em paz de uma vez — disse Luciano. — É verdade, não é impossível que o Doutor tenha tramado tudo isso. Provavelmente há algo sujo por trás do que nós sabemos. Mas o que você tem a ver com isso, homem?

— Nem lembro quem é esse tal don Rolando Garro, meus senhores — assegurou Juan Peineta. — Se bem que, para dizer a verdade, esse nome me parece vagamente conhecido. Não pensem que me batendo vão devolver minha memória. Bem que eu gostaria. Minha cabeça virou purê há muito tempo, sabem. Agora, por favor, eu imploro pelo amor de Deus: me deixem em paz, não batam mais em mim.

— O que o juiz lhe ofereceu é um prêmio da loteria, seu babaca — insistiu o inspetor. — Você confessa, o juiz pede um exame psiquiátrico e os médicos determinam que é incapaz, devido à sua demência precoce.

— Demência precoce — repetiu o promotor. — Em vez da penitenciária de Lurigancho, uma casa de repouso. Imagine só. Enfermeiras, boa comida, atendimento médico, visitas livres, televisão todo dia e cinema uma vez por semana.

— Tudo isso em vez daquele covil horroroso cheio de ratos no Hotel Mogollón, que a qualquer momento vai desabar e esmagar todos os hóspedes — explicou o inspetor. — Só tendo titica na cabeça para recusar uma oferta tão esplêndida.

— Eu poderia levar o Serafín para essa casa de repouso? — perguntou de chofre o recitador, subitamente interessado. E explicou: — É o meu gato, que eu batizei com esse belo nome. O pobrezinho vive apavorado, temendo ser alvo desses mestiços que preparam guisado de bichano. Eu ficaria muito grato, se não me batessem mais. Estou perdendo a vista de tanta pancada na cabeça. Um pouco de caridade cristã, senhores.

— É que na cabeça não fica marca, Juan Peineta — riu o inspetor. Os outros sujeitos que estavam ali também riram. Juan Peineta pensou que era uma cortesia e procurou imitá-los. Apesar de levar uma nova pancada na nuca, com um porrete forrado de borracha que o deixou um pouco aturdido, riu também, como os seus torturadores.

— Pode levar seu gato Serafín, seu cachorro e até sua puta se tiver, Juan Peineta — insistiu o inspetor.

— Assine aqui com letra clara — mostrou o promotor, apontando-lhe o lugar exato na parte de baixo do papel. — E nunca mais volte a abrir a boca, recitador. Na verdade, você é um homem de sorte, Juan Peineta.

— Só tem um probleminha, senhor promotor — balbuciou com voz aflita o declamador. — É que esse homem, cujo nome até já esqueci, não fui eu que matei. Não lembro sequer se o conheço, nem o que faz na vida nem quem ele é.

— É melhor irmos andando, Chabelita — disse Marisa. — Eles vão achar estranho demorar tanto tempo na sauna. E, além do mais, com essas suas olheiras nem sei o que Quique e Luciano vão pensar de você.

— Quando virem as suas vão saber que você cometeu vários pecados mortais — riu Chabela. — Está bem, vamos. Mas antes me diga se é verdade que contou a Quique sobre o nosso caso. E se é verdade que seu maridinho fica excitado pensando em você e eu fazendo amor.

— Claro que contei — riu Marisa. — Mas não como verdade, só como uma fantasia, para que ele se anime e fique em condições. Não há nada que o deixe tão excitado, sabe. Você se excita muito imaginando assim eu e Chabela, Quique?

— Sim, sim, meu amor — assentiu Quique, abraçando sua mulher, acariciando-a, meio aturdido. — Conte o que mais, diga que é verdade, diga que aconteceu mesmo, que está acontecendo, que acontece hoje e vai voltar a acontecer amanhã.

— E agora, depois de saciado — disse o sr. Kosut, bocejando —, como sempre, me deu sono. Não se incomodam se eu for tirar uma soneca, não é mesmo? Continuem se divertindo, não se preocupem comigo.

— Sabe de uma coisa? Essa ideia também me excita — estaria brincando Chabela? — Você se importa se eu comer seu maridinho, Marisa?

— Me deixa pensar — estaria brincando Marisa? — Você se importa se eu me masturbar enquanto vejo vocês fazendo amor?

— Trepa gostoso, o Quique? — perguntou Chabela.

— Por favor, não use esse verbo, Chabela — protestou Marisa, fazendo cara de nojo. — Acho que é a coisa mais vulgar do mundo e me dá alergia. Diga fazer amor, transar, fornicar, qualquer

coisa. Mas nunca trepar: parece tão sujo quanto cagar e me dá alergia. Respondendo à sua pergunta: sim, ele transa muito bem. Ainda mais ultimamente.
— Se quiser, eu lhe empresto Luciano para dar uma transadinha — estaria brincando Chabela? — O coitado é tão inocente que nem deve saber que existem essas coisas na vida.
— Estou convencido de que obrigaram Juan Peineta a assumir a culpa, por dinheiro ou por medo — afirmou Quique. — Mas se não foi ele nem fui eu, afinal quem foi que matou aquele filho da puta do Rolando Garro, Luciano?
— Não sei nem quero saber — respondeu de imediato Luciano. — E você tampouco deveria se preocupar com isso, Quique. É melhor não meter o nariz nesses mistérios nauseabundos do poder, onde reinam Fujimori e o Doutor. É daí que vem a coisa, sem a menor dúvida. Mas felizmente não é problema nosso. Pense nisso, Quique. Seja quem for, bem morto está. Ele sabia que estava se expondo, não sabia?
— Tudo bem com o senhor? — disse a mulher que dizia chamar-se Licia ou Ligia. — Está tão pálido.
— Não está se sentindo bem, engenheiro? — perguntou o sr. Kosut, abrindo os olhos e levantando-se do sofá onde estava deitado.
— Acho que bebi um pouco além da conta — balbuciou o engenheiro Cárdenas. Tentava se erguer, mas o corpo de Licia ou Ligia, encarapitado em cima dele, impedia. — Não se incomoda de me deixar sair? Você se chama Licia ou Ligia? Acho que vou vomitar. Tem um banheirinho por aqui?
— Fiquei com tanto medo que urinei nas calças — confessou Juan Peineta finalmente. — Estou todo molhado e posso me resfriar. Sinto muito, senhores.
— Vamos arranjar uma calça e uma cueca novinhas para você — disse o homem que parecia ser quem mandava. — Assine aqui também, por favor.
— Assino onde o senhor quiser — disse Juan Peineta, e sua mão tremia como se sofresse de mal de Parkinson. — Mas quero deixar claro que não matei ninguém. Muito menos esse poeta, de

apelido Rolando Garro, não é? Nunca matei nem uma mosca, se a memória não me falha. Mas, na verdade, minha memória tem me pregado muitas peças ultimamente. Esqueço as coisas e os nomes o tempo todo.

— Preciso ir embora — anunciou o engenheiro Cárdenas, encostando-se em uma parede para não cair no chão. — Já é tarde, e não me sinto bem.

— Muitas fileiras de pó, queridinho — disse Licia ou Ligia, rindo.

— Chamem um táxi, por obséquio — disse o engenheiro Cárdenas, ainda apoiado na parede. — Não estou em condições de dirigir, acho.

— Você está cheio de batom na cara e na camisa, benzinho — disse Licia ou Ligia, sacudindo seu paletó. — É bom lavar o rosto antes de voltar para casa, se não quiser que sua esposa fique uma fera.

— Eu mesmo levo o senhor, engenheiro — adiantou-se o amável sr. Kosut. — O carro com chofer que contratei está esperando na porta. O senhor faz muito bem em não dirigir nesse estado.

— Não sei o que ainda está fazendo aqui na revista, Ceferino Argüello — disse a Baixinha, olhando o fotógrafo da *Revelações* com um profundo desdém. Tinha umas fotos na mão e as examinava com o mesmo desprezo que dirigia ao consternado Ceferino. — Minha ordem foi: "Temos que achincalhar Arrieta Salomón". Só que, em vez de desacreditá-lo, suas fotos o apresentam como o senhor mais normalzinho e comum do mundo. Até melhor do que na realidade.

— Mas dá para ver que está bêbado, Julieta — defendeu-se Ceferino. — Os olhos estão vidrados, e no laboratório posso deixar ainda pior, se for preciso.

— Pelo menos isso, retoque, faça parecer que está vomitando no peitilho. Tem que ficar feio, degradado. Use a imaginação, Ceferino. A ideia é que ele fique mais feio que uma golfada no chão. Entende o que estou querendo dizer?

— Não posso fazer milagre, Baixinha — implorou Ceferino Argüello, com a voz embargada. — Eu me esforço para atender a todos os seus pedidos. Mas você me trata cada vez pior. Ainda pior que o sr. Garro. Nem parece que somos amigos.

— Aqui não — sentenciou a Baixinha, muito enérgica. — Aqui, na revista, eu sou a diretora e você um funcionário. Somos amigos na rua, quando vamos tomar um cafezinho. Mas aqui eu dou as ordens e você obedece. Nunca esqueça, para o seu bem, Ceferino. Agora vá retocar as fotos e deixe esse babaca bem mais estragado. Essa semana temos que dedicar o grosso da revista a ele, tem que parecer bem fodidinho. Ordens são ordens, Ceferino.

— Deveríamos fazer outra viagem a Miami — disse Chabela, falando no chuveiro. — Não gostaria?

— Eu adoraria — respondeu Marisa, que estava passando o secador no cabelo. — Um fim de semana sossegadas e felizes. Sem apagões, nem bombas, nem toque de recolher. Ocupadas fazendo compras e tomando banho de mar.

— E fazendo também algumas doidices — disse Chabela; o jato do chuveiro quase não a deixava falar.

— E então? — perguntou o Doutor.

— Tudo indo de vento em popa — disse Julieta Leguizamón. — O deputado Arrieta Salomón pode ser acusado de assédio sexual tanto pelo seu chofer como pela empregada.

— Por que não pelos dois? — perguntou o Doutor, equitativo. — Isso demonstraria que é um depravado sexual sem atenuantes, não é mesmo?

— Não há nada que impeça — concordou a diretora da *Revelações*. — A coisa ficaria um tanto barroca, sem dúvida. Ele assediando o chofer para que o coma e a chola para comê-la. Não seria assim?

— Gosto de gente que entende as coisas de primeira, sem necessidade de repetir, Baixinha. Quanto vai custar a brincadeira?

— É só meter um pouco de medo neles, para amolecer — disse ela. — Depois os dois vão se contentar com umas boas gorjetas.

— Pode executar — disse o Doutor. — Bicha e estuprador ao mesmo tempo. Excelente! Vai ficar pior que escarro de tísico. Vamos ver se ele entende o aviso e para de chatear.

— O senhor está um pouco pálido, Doutor — disse a Baixinha, mudando de assunto. — Não está dormindo o suficiente?

— Faz tempo que esqueci o que é dormir, Julieta — disse o Doutor. — Se eu não fosse tão ocupado, iria para uma clínica dessas onde nos hipnotizam e fazem dormir uma semana inteira. Parece que a gente acorda novinho. Bem, até logo, Baixinha, cuide-se. E não se esqueça, neste número faça o deputado Arrieta Salomón engolir esguichos de merda.

— "Voltarão as escuras andorinhas a fazer ninhos em teu balcão" — disse Juan Peineta, com um olhar infestado de incerteza. E, após hesitar um pouco, perguntou: — Como é a música desta valsa *criolla*?

— Acho que não é uma valsa, é um poema de Gustavo Adolfo Bécquer — respondeu a enfermeira bigoduda.

— Desculpa, moça, mas está quase saindo. Pode me levar ao banheiro, por favor? — perguntou a velhinha que tinha ficado calva.

— Um poema? — maravilhou-se Juan Peineta. — Isso se come com sorvete?

— Se você fez cocô na calcinha vai ter que engolir, sua velha porcalhona — enfureceu-se a enfermeira bigoduda.

— Se come é com arroz — gargalhou o enfermeiro. E imitando um garçom solícito: — Vai querer um poema com sorvete ou com arroz, cavalheiro?

— Com um pouco de ketchup, é melhor — pediu, muito sério, Juan Peineta.

— Caramba, finalmente — deu boas-vindas Luciano. — Já não era sem tempo, senhoras.

— Pensei que tinham se asfixiado na sauna — disse Quique.

— Isso é o que você queria, maridinho — brincou Marisa, despenteando-o. — Ficar viúvo para ir fazer aquilo que nós sabemos, não é mesmo?

— Veja como o pobre Quique ficou vermelho — riu Chabela, ajeitando seu cabelo. — Não seja malvada, Marisa. Não o torture com essas lembranças ruins. Ou não eram tão ruins assim, Quique?

— Quique gosta que eu o torture de vez em quando — respondeu Marisa, beijando o marido na testa. — Não é verdade, amor?

— Você parece uma gueixa, Marisa — disse Chabela. — Se continuar mimando o seu marido desse jeito ele vai ficar insuportável, você vai ver.

— E ponha também um pouquinho de mostarda, se for possível — pediu Juan Peineta. — Mas, antes de mais nada, sirva bem quentinho.

— Não está gagá, está doido de pedra — concluiu o enfermeiro, levando um dedo à têmpora. — Ou então está nos sacaneando de alto a baixo e rindo à beça da gente.

— Chabela e eu estamos pensando em passar um fim de semana em Miami — disse Marisa, de repente, com a mais absoluta naturalidade. — Chabela tem que fazer uns consertos no apartamento da Brickell Avenue e me pediu que vá com ela. O que acha, amorzinho?

— Acho ótimo, amor — disse Quique. — Um fim de semana em Miami, longe de tudo isto! Maravilhoso. Por que não me levam também? Eu aproveitaria para ver uns barcos, quem sabe finalmente compro o iate de que tanto falamos, Marisa. Por que você não vem também, Luciano? Podemos ir àquele restaurante cubano que é tão bom, onde se come aquele prato tão gostoso: *ropa vieja*, não é?

— É, sim — disse Chabela, sem demonstrar muita alegria. — O restaurante se chama Versalles e o prato, *ropa vieja*, eu lembro perfeitamente.

"Será que isso foi planejado pela doida da Marisa?", pensou. "Desde quando? Então, não há dúvida, Marisa contou mesmo o nosso caso a Quique. Eu vou matá-la, vou matá-la. Esses dois espertinhos planejaram tudo com a pior das intenções, naturalmente." Estava muito séria, com seus grandes olhos negros pulando de Quique para Marisa, de Marisa para Quique, e sentia o rosto queimando. "Ele sabe de tudo", pensava, "essa viagem foi montada pelos dois. Vou dar uns tabefes nessa doida."

— Vocês acham que posso me permitir esse luxo, com a montanha de trabalho que tenho no escritório? — disse Luciano. — Vão vocês, que são uns desocupados. Mas, pelo menos, me tragam uma lembrancinha de Miami.

— Uma gravata com palmeiras e papagaios de dezoito cores — disse Quique. — E, a propósito, Chabelita, você tem onde me hospedar no seu apartamento na Brickell Avenue ou reservo um hotel?

— Tem lugar de sobra para você também — Marisa olhava nos olhos de Chabela cheia de más intenções. — Uma cama multifamiliar onde cabem pelo menos dois casais, rá, rá. Não é mesmo, amor?

— É, sim — disse Chabela. E virando-se para Quique: — Tenho um quarto de visitas muito independente, com banheirinho próprio e um quadro de Lam na parede, não se preocupe com isso.

— E, se não, pode mandar Quique dormir na casinha do cachorro — brincou Luciano. — E se você encontrar o tal iate, espero que tenha um camarote para convidados. Quem sabe assim finalmente aprendo a pescar. Dizem que é a coisa mais relaxante para os nervos que existe no mundo. Mais que Valium.

"Contou tudo a ele, e deve ser verdade que fica excitado com isso. Não me resta a menor dúvida de que os dois combinaram essa viagem", pensou Chabela, mais de uma vez, sem deixar de sorrir. "E pensaram que em Miami vamos para a cama nós três juntos, claro." Estava surpresa, intrigada, curiosa, furiosa, um tanto assustada e, também, um pouquinho excitada. "Aquela doida, a maluquinha da Marisa", pensava, olhando para a amiga que, por sua vez, também a olhava com um brilho debochado e desafiante em seus olhinhos azul-claros, quase líquidos. "Vou matá-la, vou matá-la. Como teve coragem."

— Parabéns, Baixinha — disse o Doutor. — O número sobre o deputado Arrieta Salomón ficou como o diabo gosta. Agora o pobre coitado está mansinho, pedindo penico.

— Mas abriu um processo contra nós, Doutor — disse a diretora da *Revelações*. — Já recebemos a notificação assinada por um juiz instrutor.

— Eu cuido disso — disse o Doutor. — Pode limpar o bumbum da sua cachorrinha com essa notificação. Mande-a para mim que vai ficar emperrada no mare-magnum do Poder Judiciário.

— E o que vai acontecer com o deputado Arrieta Salomón? — perguntou a Baixinha.

— Perdeu toda a pose da noite para o dia — respondeu o Doutor. — Agora, em vez de atacar o governo, está tentando convencer os Pais da Pátria de que não é um estuprador de empregadas nem uma bicha que dá para o chofer. Falando em cachorro, Baixinha. Você tem um? Não gostaria de ter? Posso lhe dar um filhote de bassê. Minha cachorrinha teve várias crias.

— Uma conversa a sós, Ceferino, você e eu — disse a diretora da *Revelações*, pegando o fotógrafo pelo braço. — Vamos almoçar juntos. Não em Surquillo, longe daqui. Vamos a Los Siete Pescados Capitales, em Miraflores. Gosta de frutos do mar?

— Gosto de tudo, claro — disse Ceferino, desconcertado. — Você me convidando para almoçar, Julieta? Que surpresa. A gente se conhece há mil anos e é a primeira vez que me faz um convite assim.

— Não é uma tentativa de sedução, você não é meu tipo — brincou a Baixinha, ainda segurando seu braço. — Vamos ter uma conversa muito, muito séria. Você vai ficar de queixo caído quando ouvir o que tenho a lhe dizer. Venha cá, vamos pegar um táxi, eu pago, Ceferino.

— Como está linda Miami — disse Quique, olhando para os arranha-céus, assombrado. — A última vez que vim aqui foi há dez anos. Não era nada, e agora é uma senhora cidade.

— Quer um champanhe, Quique? — perguntou Marisa ao marido. — Está gostoso, geladinho.

— Prefiro uísque *on the rocks*, com muito gelo — disse Quique. Estava examinando os quadros e objetos do apartamento de Chabela e reconhecia seu bom gosto. Por que estava tão agitada a mulher de Luciano?

— Isso, vamos encher a cara — riu Chabela, levantando sua taça. — Esquecer Lima pelo menos por uma noite.

— Dá para ver que você está por cima, Julieta — sorriu Ceferino. — É verdade que saiu do seu beco em Cinco Esquinas e se mudou para Miraflores? Imagino que devem ter duplicado ou triplicado seu salário. Só de pensar que pouquinhos meses atrás, quando mataram Rolando Garro, o mundo tinha acabado para nós dois, parecia que íamos morrer de fome.

— Venha, sente-se aqui, amor — disse Marisa ao marido. — Tem lugar de sobra entre nós duas, não fique tão longe.

— Parece até que tem medo de nós, Quique — caçoou Chabela.

— Eu, feliz em tão boa companhia — riu Quique, passando para o sofá onde estavam Marisa e Chabela. Sentou-se no meio das duas. Do outro lado do parapeito via-se um mar prateado, cintilando com as últimas luzes do entardecer. Havia um veleiro silente ao longe. — Realmente está lindíssimo aqui. Que sossego maravilhoso.

Pediram uma cerveja gelada, dois ceviches de corvina e, Julieta, uma *carapulcra* com arroz e, Ceferino, um *ají* de galinha com pimenta e também com arroz.

— A que brindamos, Baixinha? — perguntou Ceferino, com o copo levantado, sorridente, vagamente intrigado com aquele convite inesperado da diretora. — À nova *Revelações* e seu sucesso?

— A Rolando Garro, fundador da revista — disse Julieta Leguizamón, batendo seu copo no do fotógrafo. — Mas fale com franqueza, Ceferino. O que você achava dele? Sentia apreço, admiração ou no fundo o odiava, como tanta gente?

— Agora que estamos meio bêbados, vou lhe fazer uma pergunta, Quique — disse de repente Marisa, encarando o marido na penumbra da ampla varanda. — Responda com franqueza, por favor. Você tem atração por Chabela?

— Que pergunta é essa, Marisa! — deu um riso forçado Chabela. — Está maluca?

— Responda se tem atração por ela e se gostaria de beijá-la — insistiu Marisa, sem desviar a vista do marido e fazendo ar de zangada. — Responda com franqueza, não seja cagão.

Antes de falar, Ceferino provou o ceviche, mastigou e engoliu um pouco fazendo gestos de satisfação. Ainda não havia muita gente em Los Siete Pescados Capitales. A manhã estava úmida e cinza, um pouco triste.

— Quem não gostaria de beijar uma mulher tão bonita — balbuciou Quique. Estava vermelho como um camarão. Será que Marisa já estava bêbada para perguntar aquela barbaridade?

— Obrigada, Quique — disse Chabela. — Esta conversa está ficando perigosa. Temos que fechar a boca da sua mulherzinha.

— Claro que é bonita e, além do mais, tem a boca mais gostosa do mundo, Quique — disse Marisa. E, passando os dois braços por cima do marido, pegou as bochechas da amiga e atraiu-a para si. — Olhe só e morra de inveja, maridinho.

Chabela tentou tirar a cara, mas sem muita convicção, e afinal deixou que Marisa beijasse o seu rosto e fosse aproximando a boca até atingir seus lábios.

— Não o odiava, embora às vezes ele me tratasse muito mal, principalmente quando tinha os seus ataques de raiva — disse afinal Ceferino Argüello. — Mas o sr. Garro me deu a primeira oportunidade de ser o que eu queria: fotógrafo profissional, repórter fotográfico. Claro que o admirava como jornalista. Ele conhecia o ofício e tinha muita coragem. Por que está me perguntando isso, Baixinha?

— Me solta, sua doida, o que está fazendo? — disse afinal Chabela, ruborizada e confusa, afastando o rosto de Marisa. — O que Quique vai dizer dessas brincadeiras?

— Não vai dizer nada, não é mesmo, Quique?

Marisa fez um carinho no rosto do marido, que olhava para ela boquiaberto.

— Ele é especialista em orgias, não se esqueça. Garanto que está morrendo de inveja. Vá, maridinho, não se reprima, pode beijá-la. Eu autorizo.

Em vez de responder, Julieta Leguizamón, que ainda não tinha provado o seu ceviche, fez outra pergunta:

— Você ficou triste com a morte dele, Ceferino? Ficou chocado com aquela maneira tão horrível, tão brutal, como o mataram?

Quique não sabia o que fazer nem o que dizer. Sua mulher estava falando sério? Estava mesmo dizendo o que tinha acabado de ouvir? Ficou com meio sorriso congelado no rosto, sentindo-se um idiota.

— Que medroso, Quique — disse Marisa, afinal. — Sei que você morre de vontade de beijá-la, já me disse tantas vezes na intimidade e, agora que tem a oportunidade, não se atreve. Então dê o exemplo você, amor. Beije-o.

— Você me autoriza mesmo? — riu Chabela, já mais senhora de si mesma. — Então, sim, claro que me atrevo.

Levantou-se, passou ao lado de Marisa, caiu sentada no colo de Quique e lhe ofereceu a boca; ele deu uma olhada rápida, de soslaio, em sua mulher, e afinal a beijou. Aturdido, de olhos fechados, sentiu que a boca de Chabela lutava para abrir seus lábios e os abriu. As línguas se confundiram num entrevero fogoso. Ao longe, teve a impressão de ouvir que Marisa estava rindo.

 Ceferino deixou parado no ar o garfo com o segundo bocado de ceviche, que havia preparado cuidadosamente juntando pedacinhos de corvina, cebola, alface e pimentão. Agora sim, muito sério, assentiu:

 — Claro que fiquei horrorizado, Baixinha. Claro que sim. Posso saber o porquê de tudo isto? Você está cheia de mistérios esta manhã, caramba. Por que não me diz logo o motivo deste almoço. De peito aberto, Baixinha.

 — Aqui estamos desconfortáveis, não há nenhuma razão para isso — Quique ouviu o que sua mulher acabava de dizer. O rosto de Chabela se afastou do seu, e ele viu que estava exaltada, com os olhos brilhando muito e a boca de lábios grossos úmida com sua saliva. Mas Marisa já estava segurando a mão dela, ambas tinham se levantado e ele viu que se dirigiam para o quarto. — Vamos, amor, vamos ficar mais à vontade.

 Quique não as seguiu. Havia escurecido, e a pouca luz da varanda vinha da rua. Ele estava perplexo. Estaria acontecendo realmente tudo aquilo? Não era uma alucinação? Marisa e Chabela se beijaram mesmo na boca? Sua mulher disse o que disse? A mulher de Luciano se sentara no seu colo e os dois se beijaram com tanta fúria? Começou a sentir uma excitação que o fazia tremer da cabeça aos pés, mas não tinha coragem suficiente para se levantar e ir ver o que estava acontecendo naquele quarto.

 Julieta assentiu: "Você tem razão, Ceferino". Teve que abaixar a voz, porque o garçom havia acabado de indicar a mesa ao lado para um casalzinho que podia ouvir o que ela estava dizendo. Os dois eram muito jovens, com jeito de grã-finhos; estudavam o menu de mãos dadas, trocando olhares românticos.

 Mas, por fim, apoiando-se no sofá com as duas mãos, Quique se levantou. Estava assustado e feliz. Havia sonhado com isso, mas nunca imaginou ser possível, que pudesse passar do sonho à realidade. Caminhando na ponta dos pés, como se quisesse surpreendê-las, avançou devagarzinho pelo corredor às escuras. No quarto tinham acabado de acender uma luz tênue, com certeza a lâmpada do abajur.

— Bem, sim, vou falar de peito aberto, Ceferino — disse a Baixinha. — Maldita a hora em que você aceitou tirar as fotos daquela bacanal em Chosica para ganhar uns trocados. Tudo começou aí. Se não fossem essas malditas fotos, Rolando estaria vivo, esta conversa não aconteceria e provavelmente eu nunca teria convidado você para almoçar nem lhe diria o que vou dizer.

Da entrada do quarto, Quique as viu: estavam nuas, deitadas na cama, com as pernas entrelaçadas e se beijando, abraçadas. "Uma morena e a outra loura", pensou. Pensou: "Uma tão bonita quanto a outra". Na meia-luz circular do abajur, seus corpos brilhavam como se estivessem untados com óleo. Nenhuma das duas se virou para olhá-lo; pareciam entregues ao prazer, esquecidas de que ele estava ali observando, de que também existia. Suas mãos, quase independentes da própria vontade, já tinham começado a desabotoar a camisa, a abaixar a calça, a tirar os sapatos e as meias.

— Muito bem, Baixinha, isso está ficando cada vez mais intrigante — o fotógrafo falava enquanto comia, depressa, como se alguém fosse arrebatar seu ceviche. — Vamos, continue, desculpe a interrupção.

Já sem roupa, avançou, sempre na ponta dos pés, e sentou-se num canto da grande cama, bem perto delas, sem tocá-las.

— Vocês estão lindas assim, isso é a coisa mais bonita que já vi na vida — murmurou sua boca, maquinalmente, sem que ele tivesse consciência de que estava falando. — Obrigado por me fazer sentir que sou o homem mais venturoso da Terra neste momento.

Estava com o falo rígido e, em meio à felicidade que estava sentindo, ficou apavorado com a ideia de não conseguir se controlar e ejacular antes do tempo.

— O estrangeiro que contratou você para tirar as fotos devia ser um gângster. — Os grandes olhos imóveis da Baixinha observavam com nojo como Ceferino comia: mastigando de boca aberta, fazendo barulho, expelindo fragmentos de comida sobre a toalha de mesa. — Se ele desapareceu de repente, na certa teve que fugir às pressas ou porque seus asseclas ou inimigos o mataram. E mandou tirar essas fotos porque pretendia fazer uma grande chantagem com o milionário, claro.

Quique viu que Marisa tinha afastado a cabeça de Chabela e o olhava. Mas não falou com ele, e sim com a amiga, com uma voz baixa e espessa, que ele ouvia perfeitamente: "Deixe eu chupar você, amor. Quero beber seus suquinhos". Viu que os corpos das duas se separaram, que Marisa se encolheu e, já acocorada, enfiou a cabeça entre as pernas de Chabela, e que esta, deitada de costas, com um braço cobrindo os olhos, começou a suspirar e a ofegar. Bem devagarzinho, tomando infinitas precauções, ele também se deitou na cama e, com movimentos mínimos, sinuosos, de réptil, foi se aproximando das duas.

— Isso eu já sabia, Baixinha — interrompeu Ceferino. — Nunca pensei que o sr. Kosut tivesse mandado tirar as fotos para depois bater punheta com elas.

— Quando aconselhei você a perguntar a Rolando o que fazer com essas fotos, pensando que iria usá-las para fazer uma bela revelação na revista, cometi um erro terrível, Ceferino — disse a Baixinha, consternada. — Eu mesma, sem querer, pus em funcionamento o mecanismo que culminou com o assassinato do nosso chefe.

Quique tirou o braço que estava sobre os olhos de Chabela e, agora sim, vencidos seu pudor e sua timidez, beijou-a com fúria, enquanto suas mãos acariciavam os peitos e depois o cabelo de Marisa, e todo o seu corpo pugnava para montar em cima delas e se esfregar em suas peles, tremendo da cabeça aos pés, cego de desejo, feliz como nunca antes estivera na vida.

Quando terminou o ceviche, Ceferino limpou a boca com um guardanapo de papel. O casalzinho de namorados já tinha pedido o almoço e agora ele beijava a mão dela, dedinho por dedinho, fitando-a embevecido.

— Por quê, Julieta? — perguntou Ceferino. — O que está querendo me dizer? Como assim?

— Rolando trabalhava para o Doutor e foi perguntar a ele o que devia fazer com as suas fotografias — explicou a Baixinha.

— Para o Doutor? — fez cara de surpresa Ceferino. — Já ouvi isso mais de uma vez, e sempre desmenti, nunca quis acreditar. Trabalhava mesmo para ele?

— Assim como agora trabalhamos para ele você, eu e toda a redação da *Revelações*, Ceferino — disse Julieta, ligeiramente brava. — Você sabe muito bem, não se faça o bobo. E também sabe que, se não fosse o Doutor, nem você nem eu teríamos os bons salários que temos atualmente, e a revista nem sairia mais. Então é melhor não me fazer perder tempo com bobagem e vamos ao que de fato interessa, Ceferino.

Sentiu que estava ejaculando e continuou de olhos fechados, pensando que era uma vergonha não ter aguentado mais e penetrado Chabela, que abraçava pela cintura acariciando um dos seus peitos. Sentiu que sua mulher o instigava atrás dele, chegava até sua cara e mordia a orelha, dizendo: "Pronto, Quique, já realizou o seu sonho, viu Chabela e eu fazendo amor". Ele, ainda de olhos fechados, virou-se, procurou a boca da sua mulher e beijou-a, murmurando: "Obrigado, meu amor. Eu amo muito você, amo demais". E ouviu Chabela, debaixo dele, rindo: "Que linda cena de amor. Querem que eu me retire e deixe os pombinhos a sós?". "Não, não", murmurou Quique. "É que não consegui aguentar e gozei. Mas não saia daqui, Chabelita, espere um pouquinho, temos que fazer amor." E ouviu Marisa caçoando: "Não falei, minha vida? Ele parece muito macho, fica todo excitado, mas quando a parte boa vai começar, puf, murcha". "Não se preocupe", respondeu Chabela, "eu me encarrego de fazer esse passarinho voltar a cantar."

A Baixinha teve que fazer uma pausa porque o garçom veio buscar o prato de Ceferino. Perguntou se ela não tinha gostado do ceviche, e ela disse que sim, mas estava sem fome. Que podia levar. E continuou:

— Mas o Doutor proibiu terminantemente o chefe de publicar as fotos do milionário na revista ou de tentar chantageá-lo para ficar com seu dinheiro. Não me pergunte por quê, sua cabecinha com certeza é capaz de adivinhar. O Doutor não queria conflitos com um dos donos do Peru, alguém que, se quisesse, podia prejudicá-lo muito. Ou talvez porque, sei lá, já recebia dinheiro dele por outro lado.

Rolando fez a loucura de desobedecer ao Doutor. E foi chantagear Cárdenas para que ele pusesse dinheiro na *Revelações*. Sonhava que a revista ia melhorar, crescer, tornar-se a número um do Peru. E também, talvez, queria ficar independente do Doutor. Devia ter lá a sua dignidade, na certa não gostava de ser o desaguadouro do regime de Fujimori, a privada por onde passava toda a merda do governo.

— É isso que nós somos, Baixinha? — perguntou Ceferino. Estava com outra voz, e a euforia que a comida lhe provocara tinha desaparecido. Nem provou o *ají* de galinha que lhe trouxeram depois. — A merda que o governo usa para enxovalhar seus inimigos?

— E coisas ainda piores, Ceferino, você também sabe muito bem disso — afirmou a Baixinha. — O vômito, a diarreia do governo, o depósito de lixo. Nós servimos para tampar com porcarias a boca dos críticos e, sobretudo, dos inimigos do Doutor. Para transformá-los em "lixo humano", como ele diz.

— É melhor terminar logo a história, em vez de continuar me deprimindo assim, Julieta — interrompeu Ceferino; estava pálido e assustado. — E, então, o Doutor...

— Mandou matar Rolando Garro — murmurou a Baixinha. O fotógrafo viu um brilho terrível nos olhos redondos e imóveis da Baixinha. — Por medo do milionário. Por arrogância, porque ninguém podia lhe desobedecer sem pagar caro. Ou por medo de que Rolando, num dos seus ataques de raiva, denunciasse à opinião pública que a *Revelações* não era independente, não passava de um instrumento do governo para fechar o bico dos críticos ou chantagear aqueles que queria roubar e extorquir. Está claro agora, Ceferino?

Quique pensou que não ia se excitar de novo, mas, após um tempo naquela posição — deitado de costas, Marisa acocorada sobre seu rosto, oferecendo-lhe um sexo vermelho que ele lambia conscienciosamente, e Chabela ajoelhada entre as suas pernas com o pênis na boca —, de repente sentiu que seu sexo começava a ficar duro outra vez e uma deliciosa comichão nos testículos, sintoma seguro de excitação. Com as duas mãos, apertando a cintura de Chabela, ergueu-a e a fez sentar em cima dele. Conseguiu penetrá-la, finalmente. Por alguns instantes, antes de ejacular de novo, passou pela sua cabeça a ideia de que estava tão feliz nesse momento que toda aquela horrível experiência das últimas semanas, dos últimos meses, se justificava pelo prazer que estava vivendo graças a Marisa e à mulher de Luciano. As chantagens, o medo do escândalo, sua passagem pela cadeia, os interrogatórios humilhantes, o dinheiro gasto com juízes e advogados, tudo isso ficava no esquecimento enquanto sentia que seu corpo era uma chama que o consumia da cabeça aos pés, que fazia seu corpo e sua alma arderem juntos num fogo feliz.

— Está tudo claro, só que ainda não sei o principal — disse Ceferino Argüello, engolindo em seco. — Sei que minha voz está tremendo e que, de novo, estou morrendo de medo, Baixinha. Porque não tenho os colhões que você tem pela vida afora. Sou um covarde, com muita honra. Não quero ser herói nem mártir, só quero viver até o fim com minha mulher e meus três filhos, sem me matarem antes do tempo. Que merda é essa de vir me contar essas coisas? Não percebe que assim me compromete? Agora que finalmente eu já estava me sentindo mais seguro, você volta a me botar no paredão. Pode-se saber o que está querendo de mim, Baixinha?

— Primeiro coma seu *ají* de galinha e beba a cerveja, Ceferino — a Baixinha tinha suavizado a voz, e até seus olhos se descongelaram, agora o olhavam com uma mescla de carinho e compaixão. — O que você ouviu não é nada em comparação com o que vou lhe pedir.

— Sinto muito, mas já estou me cagando de medo, Julieta — disse a voz trêmula de Ceferino. — E você vai se surpreender, mas perdi o apetite e não tenho vontade nem de acabar a cerveja.

— Muito bem — disse Julieta. — Estamos na mesma. Vamos conversar, então, Ceferino. Ou melhor, escute-me com muita atenção. Não interrompa, até eu terminar. Depois você pode fazer todas as perguntas e comentários que quiser. Ou se levantar e quebrar esta garrafa de cerveja na minha cabeça. Ou me denunciar à polícia. Mas primeiro deixe-me falar e seja todo ouvidos. Procure compreender bem, muito bem, o que vou lhe dizer. Entendido?

— Entendido — balbuciou, assentindo, Ceferino Argüello.

— Saiba que ficou me devendo uma transadinha, amor — riu Marisa, sem se mover. — Ora, ora, Quique, quem diria que você ia comer minha melhor amiga, e na minha frente.

— Com o seu consentimento — disse Quique. — Estou amando você mais que antes, agora que me proporcionou estes momentos maravilhosos, Marisa.

— E eu não contribuí com meu grãozinho de areia, seu ingrato? — riu Chabela, também sem se mover.

— Claro que sim, Chabelita — disse rapidamente Quique. — Serei grato para sempre a você também, claro. Vocês fizeram o sonho da minha vida se materializar. Eu sonhava com isso há muitos anos. Mas nunca pensei que pudesse virar realidade.

— Vamos dormir um pouquinho, para recuperar as forças — disse Marisa. — Temos que estar em forma amanhã para aproveitar Miami como se deve.

— A cama está toda melada com as gracinhas deste senhor — disse Chabela. — Querem que troque o lençol?

— Não se incomode, Chabela — disse Quique. — Eu, pelo menos, não me importo que estejam meio molhados. Vão secar sozinhos. Para ser franco, na verdade, gosto do cheirinho.

— Não disse que meu marido é um pouquinho depravado, Chabela? — riu Marisa.

— Como foi a viagem, como estava Miami? — perguntou Luciano, que foi pessoalmente buscá-los no aeroporto. — Vocês se divertiram? Fizeram muitas compras? Comeram a tal *ropa vieja* no Versalles?

— E eu trouxe a sua gravata com muitas palmeiras e coloridos, irmão — disse Quique.

Julieta Leguizamón começou a falar, primeiro em voz baixa, preocupada com o casalzinho da mesa ao lado, mas aumentando ao perceber que eles estavam mais interessados em trocar carícias e palavras sem dúvida bobas e bonitas sussurradas no ouvido que em escutar o que se dizia na mesa vizinha. Falou muito tempo, sem vacilar, com seus grandes olhos frios, quase congelados, na cara de Ceferino, que viu ficar vermelho ou lívido, abrindo os olhos de surpresa ou apertando-os tomado de pânico, ou ainda olhando para ela com uma incredulidade total, espantado e maravilhado com o que lhe dizia. Às vezes abria a boca como se fosse interrompê-la, mas imediatamente fechava, talvez lembrando que havia prometido não dizer nada até que ela terminasse. Quanto tempo a Baixinha falou? Muito, porque enquanto falava chegou e depois partiu muita gente que veio degustar as delícias *criollas* e marítimas de Los Siete Pescados Capitales, e o restaurante foi se esvaziando. Um garçom surpreso veio levar os pratos intactos da Baixinha e de Ceferino — depois de inquirir se não tinham gostado de alguma coisa — e perguntou se não queriam sobremesa e café, e eles responderam que não com a cabeça.

Quando a Baixinha terminou e pediu a conta, disse a Ceferino que agora podia fazer todas as perguntas que quisesse. Mas Ceferino respondeu, a meia voz, de cabeça baixa, que no momento não, porque estava demolido, como na única vez que tentou correr uma maratona e teve que abandonar no quilômetro dezessete porque suas pernas tremiam e sentia que ia cair. Preferia fazer perguntas mais tarde, ou talvez amanhã, quando digerisse tudo o que tinha acabado de ouvir e organizasse um pouco sua cabeça que estava parecendo um labirinto, um saco de gatos, um vulcão. A Baixinha pagou a conta, saíram e pegaram um táxi que os levou de volta à redação da *Revelações*. Os dois sabiam que a partir daquele momento suas vidas nunca mais voltariam a ser como antes.

XXI. Edição extra da *Revelações*

Revelação político-criminal

Pela primeira vez, nosso semanário deixa de lado neste número o mundo do espetáculo — da telinha, do palco, do acetato e das telas, que é o seu mundo —, e dedica todas as páginas à crônica de sangue e à política, com o fito de denunciar em todos os seus escabrosos detalhes a verdade sobre o monstruoso crime que vitimou nosso fundador, o pranteado e ilustre jornalista Rolando Garro.

EDITORIAL

Sabemos mas fazemos

Por nossa diretora, Julieta Leguizamón

Nós sabemos que este pode ser o último número da nossa querida revista. Sabemos o risco que estamos correndo ao publicar esta edição extraordinária da *Revelações* denunciando como assassino e corruptor da imprensa peruana o homem que, provavelmente, acumulou mais poder, multiplicou mais a corrupção e causou mais estragos na história da nossa querida Pátria, o Peru: o chefe do Serviço de Inteligência, conhecido por gregos e troianos pelo seu famoso pseudônimo: Doutor.

Sabemos que eu mesma posso perder a vida, como aconteceu com o saudoso Rolando Garro, preclaro jornalista fundador deste semanário, e que, da mesma forma, todos os jornalistas, funcionários e fotógrafos da *Revelações* podem perder seus empregos, seus salários e ser vítimas, eles e suas famílias, de um assédio impiedoso e cruel por parte do poder sanguinário do Doutor e seu amo e cúmplice, o presidente Fujimori.

Sabemos de tudo e, mesmo assim, sem vacilações, fazemos isto: publicamos este número incendiário da *Revelações* para demonstrar, de forma explícita, contundente e rotunda que, com o assassinato de Rolando Garro — e sabe quantos mais —, o atual governo cometeu um dos mais atrozes liberticídios da história do Peru (talvez deste vasto mundo) e uma das violações mais cruéis da liberdade de expressão contra um jornalista, polêmico, é verdade, mas respeitado até por seus piores inimigos, que reconheciam seu talento, sua coragem, sua testosterona, seu profissionalismo e seu amor por este nosso antigo país.

Por que fazemos isto, correndo tanto risco?

Antes de mais nada e, sobretudo, por nosso amor à liberdade. Porque sem liberdade de expressão e de crítica o poder pode cometer todos os atropelos, crimes e roubos, como os que ensombreceram a nossa história recente. E por nosso amor à verdade e à justiça, valores pelos quais um jornalista tem que estar disposto a sacrificar tudo, inclusive a vida.

E também porque, se ficarem impunes fatos como o covarde e vil assassinato de Rolando Garro e a igualmente vil e grotesca falsificação da justiça que foi atribuir o crime a um pobre ancião privado das faculdades mentais — estamos nos referindo ao veterano e conceituado recitador Juan Peineta —, o Peru vai mergulhar ainda mais fundo no abismo infernal em que caiu por culpa do regime autoritário, cleptomaníaco, manipulador e criminoso que nos domina.

E, por fim, fazemos isto porque, ao divulgar estas verdades corrosivas, contribuímos para impedir — nem que seja com um ínfimo grãozinho de areia — que o Peru se transforme, por culpa do Doutor e do seu patrão, o presidente Fujimori, numa republiqueta de bananas, uma dessas caricaturas que ofendem a nossa América. Os dados estão rolando. *Alea jacta est.*

Julieta Leguizamón
(Diretora)

O COMEÇO DA HISTÓRIA

Um forasteiro depravado, um milionário emboscado e a bacanal de Chosica

(Confissões de Ceferino Argüello, nosso valente repórter fotográfico)

Por Estrellita Santibáñez

A história do assassinato do jornalista Rolando Garro, ordenado pelo homem forte do regime do engenheiro Fujimori conhecido como Doutor, começou há dois anos e pouco, quando um misterioso estrangeiro chamado Kosut (nome sem dúvida falso), do qual o Serviço de Imigrações não tem registro de entrada nem de saída do país, o que poderia indicar que se trata de um gângster integrante de uma máfia internacional, contratou nosso colega de trabalho na *Revelações*, o conceituado fotógrafo Ceferino Argüello, para tirar fotos de uma suposta reunião social que iria ocorrer numa casa em Chosica.

"Fui miseravelmente enganado por esse personagem, que parecia um homem de negócios respeitável, mas era, na verdade, um mentiroso, vigarista e provavelmente agente dos cartéis internacionais", diz Ceferino. "Ele me contratou para fotografar um suposto evento social que, a bem da verdade, era uma bacanal com prostitutas."

Quantas meretrizes participaram dessa bacanal, Ceferino?

Umas quatro, se não me engano. Ou, talvez, cinco. Eu não tinha uma visão boa do conjunto, porque ficava tirando as fotos de dentro de uns esconderijos, portanto minha visão estava um pouco recortada. Mas minhas câmeras, sim, tinham uma perspectiva ampla e disparavam bem.

Pode nos descrever as características da bacanal que fotografou, Ceferino?

Bem, acabaram todos nus, praticando o coito ou ato sexual, às vezes de forma correta e às vezes pela retaguarda. Como mostram as respectivas fotografias que tirei.

Você quer dizer, Ceferino, que as meretrizes, o forasteiro misterioso e o engenheiro Enrique Cárdenas se despojaram de suas vestes e fornicaram ali mesmo, como animais, misturados uns com os outros?

Não só fornicaram, se com esse verbo você quer dizer que fizeram amor, Estrellita. Porque houve também outros contubérnios, vulgarmente conhecidos como minetes e boquetes, e, creio, até uma tentativa do sr. Kosut de sodomizar, se me permite esse cultismo, uma das meretrizes; mas, ao que parece, só funcionou parcialmente porque ela sentiu dor, gritou e o sr. Kosut se assustou e desistiu. Minhas fotos testemunham tudo isso, menos os gritos, mas eu ouvi tudo muito bem.

Qual foi a reação do engenheiro Enrique Cárdenas no começo da bacanal?

De surpresa. Claramente, ele também tinha sido enganado. Não sabia que se tratava de uma bacanal. Era evidente que tinha sido convidado para um evento social. E lá se deparou com algo muito diferente. Mas, por fim, vencendo a sua reserva inicial, participou. E, mais tarde, sentiu-se um pouco mal, talvez devido às numerosas libações de álcool e às fileiras de droga que lhe foram induzidas pelo sr. Kosut. Não parecia familiarizado com essas práticas. Em todo caso, o outro teve que trazê-lo de volta para Lima no carro que havia contratado com motorista, porque o engenheiro não estava em condições de dirigir seu próprio automóvel.

Por que insiste em chamar o sr. Kosut de vigarista, Ceferino?

Porque ele nunca me pagou os quinhentos dólares que tinha que pagar pelas minhas fotos. O fato é que depois desse dia nunca mais voltei a vê-lo. No hotel, o Sheraton, me disseram que tinha devolvido o quarto e não disse para onde ia.

E então o que você fez, Ceferino, com as fotos da bacanal?

Guardei-as com cuidado pensando que algum dia o vigarista podia aparecer e me pagar o trabalho que encomendou.

E por que, dois anos e pouco depois, Ceferino, você decidiu contar ao diretor da Revelações *que tinha essas fotos?*

Fui forçado pelas necessidades econômicas. Sou casado, tenho três filhos e vivo na pindaíba, como diz o povo. Um dos meus filhos, o caçula, pegou escarlatina. Eu precisava urgentemente de recursos porque minha poupança estava zerada no banco. Exatamente: não me sobrava um puto. Então mostrei as fotos ao sr. Rolando Garro, diretor do nosso semanário. E contei toda a história a ele. O sr. Garro me disse que estudaria o caso, que ia ver o que se podia fazer com aquelas fotos. E só um mês e meio depois decidiu publicá-las e fazer aquela edição extra da *Revelações*, "As fotos da bacanal em Chosica", que tanto sucesso teve. Infelizmente, para ele e para nós. E para o jornalismo nacional. Pois agora sabemos que foi cruelmente assassinado por ordem do Doutor, por ter publicado essas fotos comprometedoras do sr. engenheiro Enrique Cárdenas.

(Veja a continuação da história do assassinato no artigo da nossa diretora, Julieta Leguizamón, na página seguinte: "A mão que impulsiona os assassinos e a morte heroica do fundador da Revelações*".)*

O assassinato de um jornalista e a ameaça à liberdade de expressão no Peru

Por Julieta Leguizamón
(Diretora da Revelações*)*

Há verdades que doem, que preferiríamos que fossem mentiras, mas neste caso gravíssimo trata-se de apresentar ao nosso público a verdade pura, nua e crua. Há que dizer as verdades, apertando os punhos e os dentes. E é o que fazemos.

Nem eu nem mais ninguém na redação da *Revelações* sabia que nosso fundador, Rolando Garro — meu professor e amigo —, trabalhava para o Doutor e seu sinistro Serviço de Inteligência. E que, por essa razão, muitas das revelações e campanhas do nosso querido semanário não nasciam espontaneamente, do instinto jornalístico e talento inquisitivo dos nossos redatores, mas eram ordenadas e tuteladas pelo próprio Doutor, de quem Rolando recebia instruções verbais diretas. Tudo isto é confirmado nas gravações secretas que deixamos nas mãos da Promotoria Pública e do Poder Judiciário, denunciando assim o assassinato de Rolando Garro por ordem e instigação do Doutor.

    Por que Rolando Garro aceitou, como tantos outros colegas jornalistas, receber emolumentos das mãos manchadas de sangue do homem forte do regime de Fujimori? Por uma razão evidente, e tão clara quanto dolorosa: a necessidade de sobrevivência. Sem ajuda econômica do regime, através do seu Serviço de Inteligência, muitas outras publicações, tanto quanto a *Revelações*, teriam desaparecido por absoluta falta de anúncios, apesar de algumas delas contarem, como a nossa, com o favor do público. A necessidade, o desejo de continuar existindo, cumprindo sua missão jornalística e cívica, por certo deixaram Rolando à mercê do sinistro homem forte do regime de Fujimori, sem suspeitar que fazendo esse sacrifício, que salvava a vida do semanário, estava sacrificando a própria.

    Por que digo isso? Porque quando o nosso colega, o repórter fotográfico Ceferino Argüello, me confessou (e mostrou) as escandalosas fotografias de Chosica, eu naturalmente aconselhei-o a levar o caso ao nosso chefe e diretor e explicar-lhe toda a história do enganoso Kosut. Foi o que fez Ceferino, seguindo o meu conselho. Só viemos a saber mais tarde (o que também está documentado numa das gravações que entreguei à Justiça) que Rolando Garro foi mostrar as fotos ao Doutor e pedir instruções sobre elas. O já mencionado Doutor proibiu terminantemente que as publicasse e fizesse a correspondente denúncia na *Revelações* ou tentasse com elas exercer alguma forma de coação ou chantagem contra o sr. engenheiro Enrique Cárdenas, protagonista da bacanal. O Doutor me explicou depois, pessoalmente (ver a transcrição da gravação correspondente que entreguei à Justiça), que havia proibido Rolando de publicar as fotos porque sabia que não devia se meter com gente mais poderosa que ele, os ricos do Peru, entre os quais se inclui o destacado e probo minerador engenheiro Enrique Cárdenas.

Mas Rolando Garro não obedeceu às instruções e tentou coagir (chantagem) o sr. Cárdenas, mostrando-lhe as fotos e pedindo que investisse seu dinheiro e seu prestígio na revista, de maneira que esta pudesse aprimorar suas matérias e sua apresentação, e assim as agências de publicidade, graças ao bom nome do engenheiro Cárdenas na nossa diretoria, contratariam anúncios que garantiriam a sobrevivência da *Revelações*. Como o engenheiro Cárdenas se negou a ser coagido e, inclusive, expulsou Rolando do seu escritório de forma ríspida, ameaçando tirá-lo de lá a pontapés, nosso fundador, tomado por um ataque de cólera desses que muitas vezes o deixavam cego e fora de si, publicou aquele número especial da *Revelações*. O Doutor decidiu então que tinha que puni-lo e mandou matá-lo.

(*Veja a transcrição da gravação secreta que fiz da confissão do Doutor à autora deste artigo, como ameaça preventiva, para que ela — eu mesma — soubesse as possíveis consequências de desobedecer às suas ordens.*)

Esta é a triste história da trágica morte de Rolando Garro, motivo da nossa denúncia pública que ocupa as páginas da *Revelações* desta semana e que expusemos com grande audácia aos nossos leitores ao mesmo tempo que fazíamos a correspondente acusação à Justiça, confiantes em que nossos justos juízes determinarão que o assassino de Rolando Garro seja julgado e merecidamente sentenciado por seu funesto procedimento.

> (*Veja também como a autora deste artigo, pródiga em arrojo e bravura, conseguiu gravar as comprometedoras confissões do chefe do Serviço de Inteligência quando este a convocava ao seu escritório, ou à casa secreta nas praias do sul, para dar-lhe instruções sobre as operações de desmoralização dos críticos ou adversários do regime que eram o preço da ajuda econômica que nos dava, necessária para a existência desta revista.*)

O resto da história não podemos provar, mas sim deduzir e adivinhar. Para inventar uma cobertura para o brutal assassinato do nosso fundador, seus autores — o Doutor e seus meliantes —

encontraram um pobre ancião arteriosclerótico, o inesquecível recitador Juan Peineta, muito conhecido por seu velho rancor e ódio a Rolando Garro, documentado em suas repetidas e insistentes cartas e telefonemas contra ele aos jornais, rádios e televisões, pois acreditava que foi devido às críticas de Rolando que perdeu o emprego no conhecido programa *Os Três Piadistas*, da América Televisión, onde trabalhava antanho. O Doutor pretendeu ocultar seu crime fazendo uma acusação caluniosa contra o veterano cultor da antiga arte da recitação. Esta é a verdadeira história da morte de Rolando Garro.

Julieta Leguizamón
(Diretora da *Revelações*)

As gravações secretas

(Correndo riscos para servir à Verdade e à Justiça)

Escreve: Estrellita Santibáñez

Antes de começar a entrevista, aviso à nossa diretora, Julieta Leguizamón, que não vou entrevistá-la como minha chefe na revista onde trabalho, e sim com a mesma liberdade e a mesma desenvoltura que teria com qualquer desconhecida que fosse importante para a atualidade informativa. E ela me responde: "Claro que sim, Estrellita. Você aprendeu a lição. Está cumprindo o seu dever de jornalista". Sem mais preâmbulos, faço a primeira pergunta:

> *Desde quando você resolveu levar um pequeno gravador escondido na roupa para registrar as conversas com esse importante personagem conhecido como Doutor?*

A partir da segunda vez que o vi. Na primeira, para minha grande surpresa, esse homem me confessou que Rolando Garro trabalhava para ele e que queria que a revista sobrevivesse à morte do seu fundador e que eu fosse a nova diretora. Foi então que decidi me arriscar e gravar todas as nossas conversas.

Você sabia a que perigo estava se expondo com essa decisão?

Perfeitamente. Sabia que se ele descobrisse que eu tinha um pequeno gravador no decote, entre os peitos, podia mandar me matar, como fez com Rolando. Mas decidi correr o risco, porque nunca confiei nele. E, graças a isso, descobri o que sei e que agora todo o Peru também sabe, graças ao destemido apoio de todos os jornalistas deste semanário e à denúncia que fizemos na Justiça: de que foi o Doutor quem mandou assassinar Rolando Garro por ter desobedecido à sua proibição, publicando as fotos da bacanal de Chosica. Agradeci a Deus no dia em que ele mesmo, de motu proprio, sem que eu puxasse o assunto, me disse o que tinha feito com o nosso amigo e mestre, fundador da *Revelações*.

E por que você acha que o chefe do Serviço de Inteligência lhe fez uma confidência tão estúpida, quero dizer, tão grave, pela qual podia ser condenado a muitos anos de prisão? O Doutor tem fama de ser muitas coisas, menos estúpido, não é mesmo?

Já me perguntei isso muitas vezes, Estrellita. Acho que foram várias as razões. Como eu tinha começado a trabalhar para ele, e de forma muito eficiente, fazendo todas as revelações e campanhas de desmoralização que ele mandava, já sentia confiança em mim. Mas, de todo modo, queria ter certeza de que eu nunca iria me atrever a traí-lo. Foi uma forma de me avisar, para que eu soubesse qual podia ser sua vingança se o traísse. Também pensei que ele me contou por uma vaidade satânica. Para que eu soubesse que tinha poderes supremos, incluindo o direito de tirar a vida de quem se insubordinasse. Não dizem que o poder chega a cegar quem o controla?

O que sentiu quando ouviu o Doutor dizer que tinha mandado matar Rolando Garro, que você estimava tanto?

Terror, pânico. Como se diz vulgarmente, eu me caguei de medo, Estrellita, e desculpe a má palavra. Meus joelhos tremeram, meu coração acelerou. E ao mesmo tempo, acredite se quiser, fui tomada por uma secreta felicidade. Já tinha encontrado o verdadeiro assassino de Rolando Garro. Estava ali, à minha frente. Pedi a Deus, à Virgem e a todos os santos que o gravador estivesse funcionando bem naquele dia. Porque, às vezes, com fitas gastas ou bambas, não funcionava direito e se ouvia muito mal, e outras vezes simplesmente não gravava nada. Mas os céus me ouviram; nesse dia a gravação saiu perfeita.

Quantas fitas gravadas você entregou à Promotoria e ao juiz de instrução?

Trinta e sete. Todas as que gravei, inclusive aquelas em que a gravação ficou ruim, quase inaudível. Naturalmente, antes disso tomei o cuidado de tirar uma cópia bem-feita dessas trinta e sete fitas, para o caso de extravio daquelas que entreguei ao Poder Judiciário.

Você acha que os juízes terão coragem de dar o uso adequado a essas gravações? Não receia que possam alegar que uma gravação feita às escondidas, quer dizer, de forma ilícita, não pode ser válida para acusar de assassinato o chefe do Serviço de Inteligência?

Este vai ser, naturalmente, o argumento que o Doutor usará em sua defesa, para não ser acusado e sentenciado pelo assassinato de Rolando Garro. Mas não tem nenhuma base. Consultei destacados advogados sobre isso, e todos me disseram que não há base jurídica, nem moral, para utilizar um estratagema tão chicaneiro. Haveria um escândalo enorme na opinião pública, o país não permitiria. Em todo caso, se acontecesse uma coisa assim, ficaria demonstrado que não existe independência do Poder Judiciário e que atualmente nossos juízes também são, como tantos jornalistas, meros instrumentos dos verdadeiros donos dos corpos e das consciências do Peru: Fujimori e o Doutor.

Quando você ia falar com o Doutor não era revistada antes pelos soldados ou policiais que o protegiam?

Só me revistaram, e muito por alto, na primeira vez. Mas sem tocar nos meus peitos, justamente onde estava escondido o pequeno gravador. Nas outras vezes me deixaram passar sem qualquer verificação. Por outro lado, eu estava proibida de ir procurá-lo sem ser chamada. Todas as nossas reuniões, menos a primeira, naquele bunker que ele construiu nas praias do sul, foram no seu gabinete do Serviço de Inteligência.

Não tem medo de sofrer um acidente oportuno, por exemplo, ser atropelada por um carro ou um caminhão, ingerir comida envenenada ou levar uma facada numa briga de rua armada?

Eu tomo todos os cuidados que posso, naturalmente. Mas não se pode esquecer que, neste momento, o regime de Fujimori e do Doutor não mantém mais o Peru inteiro de joelhos. A oposição à ditadura ganhou força, todos os dias há manifestações contra as iniciativas de Fujimori para ser escolhido pela terceira vez, o que obviamente só conseguiria mediante uma fraude monstruosa. Os defensores dos direitos humanos vão todos os dias lavar a bandeira peruana nas portas do Palácio do Governo. Os meios de comunicação, devido a essas novas circunstâncias, de modo geral são menos servis e submissos, e alguns se atrevem a fazer críticas abertas ao regime. A Fujimori e, principalmente, ao chefe das repressões, censuras e assassinatos. Esperemos que esse contexto de oposição aumente e leve o Doutor ao banco dos réus e depois à cadeia. Para mim, o grande perigo é que antes disso fuja para o estrangeiro, onde ele e Fujimori guardam todos os milhões que roubaram.

A senhora acha que a Revelações *vai sobreviver a este último escândalo, ou o Doutor se encarregará de fechá-la para sempre?*

Espero que continue viva, agora por sua própria conta, sem as dádivas do regime. Vou fazer o impossível, com a ajuda dos meus valentes colaboradores, para que os assassinos de Rolando Garro não assassinem também o nosso semanário. Contamos, para nos defender, com a opinião pública, sedenta de Justiça e Liberdade. Temos confiança nos nossos leitores.

(*Veja nas páginas internas as fotos que Ceferino Argüello, o fotógrafo da* Revelações, *tirou da nossa diretora Julieta Leguizamón com o gravador que comprovou o crime ordenado pelo Serviço de Inteligência escondido entre os peitos, tentando prendê-lo no sutiã.*)

(*Veja nas páginas internas a biografia do notável jornalista que foi Rolando Garro, tudo o que se sabe da vida aventureira e criminosa do Doutor, o chefe do Serviço de Inteligência, e a ignominiosa ditadura de que o Peru padece.*)

(*Veja também, nas páginas centrais, um resumo do "Escândalo das fotos da bacanal de Chosica" e a triste história do reputado vate e recitador Juan Peineta, que os autores do crime de Rolando Garro obrigaram a assumir a culpa e depois mandaram para um asilo de anciãos onde viveu todo esse tempo sem chegar a entender, devido à sua demência senil, o drama de que foi vítima inocente e inconscientemente. Ver, finalmente, a pesquisa feita pelo nosso semanário na qual noventa por cento das pessoas consultadas pensam que Juan Peineta deveria ser indultado porque duvidam que no seu estado físico e mental pudesse ter sido o autor do crime pelo qual foi condenado.*)

xxii. Happy end?

— Não posso tirar da cabeça que Luciano sabe, amor — disse de repente Quique, e Marisa, que estava ao seu lado na cama folheando a *Caretas* da semana, teve um sobressalto.

— Não sabe, Quique — afirmou, ajeitando a cabeça no travesseiro e virando-se para o marido. — Tire da cabeça de uma vez essa maldita ideia.

Quique, que estava lendo um livro de Antony Beevor sobre a Segunda Guerra Mundial, deixou o grosso volume na mesinha e fitou sua mulher com uma expressão de preocupação que não existia até aquele instante.

Era uma ensolarada manhã de domingo, e o verão finalmente havia começado de verdade em Lima. Eles acordaram cedo com a ideia de ir passar o dia na casa de praia que tinham em La Honda e almoçar lá com uns amigos, mas depois do café subitamente decidiram voltar para a cama, ler e passar a manhã sossegados. Talvez mais tarde fossem almoçar num bom restaurante.

— É que ele está diferente, Marisa — insistiu Quique. — Venho observando há algum tempo. Está mudado, com certeza. Mantém as aparências, claro, como se espera de um gentleman. Porque ele é assim. Sabe há quanto tempo nós quatro não almoçamos nem jantamos juntos? Dois meses. Alguma vez na vida já havia passado tanto tempo sem sairmos para jantar ou almoçar?

— Se Luciano soubesse, deixaria de falar conosco, Quique. É tão conservador, que seria capaz de chamar você para um duelo — disse Marisa. — E se separaria de Chabela na mesma hora. Você acha que ia continuar com ela depois de saber que fez amor com nós dois?

Marisa teve um ataque de riso, ficou vermelha como uma

menina e, virando-se, foi se aconchegar no marido. As mãos deste acariciaram seu corpo nu, por baixo da fina camisola de seda.

— Sim, sim, é o que eu também penso, para me tranquilizar, amor — sussurrou Quique em seu ouvido, mordiscando devagarzinho a orelha. — Que Luciano, com seu jeito de ser, teria brigado com a gente para sempre e, sem dúvida, se divorciado de Chabela. E além do mais levaria as meninas.

De repente Quique sentiu que Marisa tinha segurado seu pênis. Mas não com carinho; apertando, como se quisesse machucar.

— Ei, ei, está doendo, amor.

— Se eu souber que você e Chabela se encontram a sós, que você transa com ela escondido de mim, juro que corto isto aqui como Lorena Bobbitt cortou o do marido dela — disse Marisa, fingindo que estava furiosa; seus olhinhos azuis relampejavam. — Lembra a história de Lorena Bobbitt, certo? Aquela equatoriana que castrou o marido gringo com uma faca e virou heroína dos hispânicos nos Estados Unidos.

— Você pensa mesmo essas coisas, de verdade? — riu Quique, pegando sua mão. — Que eu poderia estar me encontrando com Chabela pelas suas costas? Você deve estar mal da cabeça, amor. Eu gosto mesmo é do que fazemos nós três juntos. O que me excita é ver vocês fazendo amor. E, depois, cair em cima das duas como uma tempestade.

— Pois na última vez só caiu na Chabela, seu desgraçadinho, e me deixou na mão.

Quique se virou e abraçou Marisa. Beijou-a na boca por um longo tempo, apertando-a contra o seu corpo:

— Está me fazendo uma cena de ciúme de Chabela? — murmurou ele, feliz, tentando tirar sua camisola. — Você me deixou excitado, gringuinha.

Ela o afastou, rindo também. Estava com o cabelo louro todo desgrenhado e aos olhos de Quique seu pescoço comprido parecia ainda mais suave e níveo que os pômulos e a testa.

— Não sei se é ciúme, Quique — disse, aconchegando-se nele outra vez. — É uma sensação muito estranha. Quando vejo vocês dois fazendo amor, e vejo você tão apaixonado, tão excitado, e ela também, entrelaçados, se tocando, se apertando, sinto uma espécie de raiva. E ao mesmo tempo fico excitada, toda molhadinha, vendo os dois. Não acontece a mesma coisa com você?

— É, sim, igualzinho — disse Quique, passando o braço pelos ombros de Marisa. — Principalmente quando as vejo entrelaçadas, uma chupando a outra. É como se de repente vocês tivessem me expulsado dali e eu estivesse órfão. Sinto raiva, também. Mas, falando a verdade, Marisa, desde que esta história começou nossa vida íntima se enriqueceu muito, não foi? Você não acha?

— É a pura verdade — concordou Marisa. — Daqui a pouco vai fazer três anos daquela nossa primeira vez os três juntos, lá em Miami. Lembra? Precisamos comemorar. Outro dia estava falando disso com Chabela. Ela insistiu que devíamos festejar lá mesmo, no apartamento da Brickell Avenue.

— Três anos — rememorou Quique, comovido. — Tudo o que sucedeu desde então, não é mesmo, amor? De todas as coisas que aconteceram conosco, sabe qual é a única que me interessa? Que amo você mais que antes. Agora, sim, nosso casamento ficou indestrutível. Graças a tudo o que passamos, eu agora vivo louco de amor pela maravilhosa mulherzinha com quem tive a sorte de casar.

Virou-se e beijou os lábios de Marisa.

— É incrível — disse ela. — Quem podia imaginar que o terrorismo ia desaparecer, que Fujimori e o Doutor seriam presos, que Abimael Guzmán e aquele outro, o do outro grupo, como se chama esse cara?

— Víctor Polay, do MRTA — disse Quique. — Foram esses que sequestraram e mataram o pobre Cachito. Espero que essa turma apodreça na cadeia por ter feito essa barbaridade tão cruel. Aliás, não seja tão otimista. O terrorismo não desapareceu totalmente. Ainda há grupos esparsos, na selva. E o Exército não consegue acabar com eles.

— E se Chabela contou tudo a Luciano, e ele também ficou excitado com a história? — Marisa riu vendo que suas palavras faziam Quique empalidecer e enchiam seus olhos de medo. — Estou brincando, bobinho, não se assuste.

— É que às vezes isso também me passa pela cabeça — disse Quique. — É impossível, não é? Tratando-se de Luciano, absolutamente impossível. Mas sempre, lá no fundo, fica a dúvida. Às vezes ele me olha de um jeito que me faz tremer, Marisa. E então penso: "Ele sabe. Com certeza sabe".

— Chabela me jurou que ele nem desconfia — disse Marisa. — Luciano é tão puro, tão cavalheiro, não passa pela cabeça dele que alguém possa fazer o que nós fazemos com Chabela.

Foram interrompidos pelo telefone, vibrando na mesinha de Marisa. Ela atendeu. "Alô, alô?" Quique viu-a sorrir de orelha a orelha. "Olá, Luciano! Que surpresa. Bem, bem, mas com saudades suas, faz tanto tempo que não nos vemos, Lucianito. É, claro, sempre ocupadíssimo, como o Quique. A vida não pode ser só trabalho, Luciano. A gente também precisa se divertir um pouco, não é? Almoçar juntos? Hoje?" (Quique lhe fez um gesto afirmativo.) "Nós quatro? Grande ideia, Luciano. Quique está aqui ao meu lado, aprovando. Perfeito. Então vamos para aí. Por volta das duas, está bem? Fantástico. E depois poderíamos ver um filme nesse cineminha particular que você mandou fazer aí. Certo? Ótimo! Beijos para Chabela e até loguinho."

Marisa desligou o telefone e virou-se para o marido com uma expressão de triunfo; seus olhos azuis-celestes faiscavam.

— Está vendo, era só apreensão sua, Quique — exclamou. — Luciano estava carinhosíssimo. Disse que pensou em nos chamar para almoçar porque receberam umas corvinas fresquíssimas e vão fazer um ceviche. Disse também que nós não nos vemos nunca e que isso não dá...

— Ainda bem, ainda bem — alegrou-se Quique. — Era só ideia minha, então. Devem ser remorsos pelo que nós fazemos, essa é a explicação. Que notícia boa, amor. Gosto muito do Luciano. Ele é meu melhor amigo e sempre o admirei, você sabe. O que aconteceu com Chabela não diminui nem um milímetro o afeto que tenho por ele.

— Sabe o que você é, Quique? — riu Marisa. — Um cínico daqueles, maridinho. Um sem-vergonha como nunca se viu outro igual. Você tem um grande afeto e é seu melhor amigo, mas não vacila um segundo em enganá-lo com a mulher dele.

— A culpa é sua, não é minha — respondeu, abraçando-a e caindo em cima de Marisa. Falava em seu ouvido, enquanto lhe acariciava o corpo e se esfregava nele. — Você me corrompeu, amor. Por acaso não foi você que inventou tudo isso?

— Eu nunca participei de uma *partouze* como aquela de Chosica — respondeu Marisa em seu ouvido. — Portanto, não se sabe quem corrompeu quem.

— Eu lhe pedi tanto que não falasse nunca mais da história de Chosica — Quique, com a voz alterada, se afastou da mulher e voltou a deitar de costas. — Viu só, eu estava excitado, ia fazer amor com você, mas essa piada sobre Chosica me deixou mais gelado que um iceberg. Foi uma punhalada traiçoeira, Marisita.

— Era brincadeira, bobinho, não fique triste, você estava mais simpático esta manhã que o normal.

— Por favor, Marisa — insistiu ele, muito sério. — Estou lhe pedindo mais uma vez. Não vamos falar nunca mais dessa maldita história. Eu imploro.

— Tudo bem, amor, desculpe. Nunca mais, juro. — Marisa avançou o rosto e beijou-o na bochecha. Depois despenteou seu cabelo, de brincadeira. — Sabe que você é a pessoa mais contraditória do mundo, Quique?

— Por quê? — perguntou ele. — Em que sou contraditório?

— Não quer que eu lembre de jeito nenhum essa história de Chosica, mas toda noite vê o programa ridículo dessa prostituta.

Quique deu uma risada.

— Não venha me dizer que está com ciúme de Julieta Leguizamón e *A hora da Baixinha*.

— Ciúme daquela anã horrorosa? Claro que não — protestou Marisa. — Mas você deveria odiá-la. Não foi ela que o acusou de mandar assassinar Rolando Garro? Não foi por causa dela que você passou aqueles dias horríveis na cadeia, no meio de bandidos e degenerados? Como pode assistir a esse programa e ouvir toda noite aquela fofocagem repugnante dela? Você devia ter vergonha, Quique.

— *A hora da Baixinha* é o programa mais popular da televisão peruana — deu de ombros seu marido. — Sim, sim, eu sei, aquilo é pura bisbilhotice cafona, você tem razão. Não sei explicar, eu mesmo não tenho uma resposta que me convença. Para mim há algo de fascinante nessa mulherzinha, por mais que ela me tenha feito o que fez.

— Fascinante, aquela anã mais feia que bicho-papão? — escarneceu Marisa.

— Fascinante, sim, gringuinha — disse Quique. — Ela me acusou porque achava que eu tinha mandado matar Rolando Garro por causa do que ele me fez passar, como aliás meio mundo achava. Mas depois, quando soube que o verdadeiro assassino era o braço direito de Fujimori, também o denunciou, arriscando a própria vida. E essa denúncia, não se esqueça, foi decisiva para derrubar a ditadura. Fujimori, o Doutor e companhia vão mofar na cadeia sei lá quantos anos por culpa dessa mulher. Não mandaram matá-la, como muita gente pensou que fosse acontecer. E ela continua aí. Não era ninguém, e agora é uma personagem importante da televisão peruana. Deve estar ganhando uma fortuna, apesar de ser, como você diz, quase anã e feiosa. Não acha uma história fascinante?

— Nunca aguentei as pieguices desse programa nem cinco minutos — Marisa fez uma expressão de nojo. — Todas aquelas fofocas sobre a vida das pessoas. Imagine se ela soubesse da nossa história? Faria um programa inteiro sobre nós: "O trio feliz e perverso", já estou até vendo. Fico arrepiada só de pensar. Bem, não podemos perder a hora. Vou tomar um banho e me vestir para o almoço.

Quique viu-a levantar da cama e entrar no banheiro. Passou os olhos pelo quadro de Szyszlo: o que queriam dizer aquele aposento, aquele totem, que em determinadas horas pareciam soltar chamas? Às vezes sentia um pouco de medo ao olhá-lo. Em compensação, o deserto com serpente de Tilsa o serenava. Ali não havia mistério algum; ou talvez sim, aquele olhar remelento do ofídio. Ficou pensando. Sim, claro, era estranha aquela fascinação que Julieta Leguizamón exercia sobre ele e o fazia ver *A hora da Baixinha* todas as noites que podia. Aquela mulherzinha tinha feito história, sem se propor, sem desconfiar. Com sua audácia, provocou acontecimentos que mudaram a vida do Peru. Não era uma coisa extraordinária que uma garota como qualquer outra, que não era ninguém, na base da pura coragem, tivesse provocado um terremoto como a queda do todo-poderoso Doutor? Bem que gostaria de conhecê-la, conversar com ela, saber como falava quando não estava na televisão representando seu papel de farejadora de intimidades. Mas que bobagem. Hora de se levantar, fazer a barba e ir tomar banho de uma vez. Que boa notícia, o convite de Luciano para almoçar e ver um filme no cinema que tinha construído na sua casa em La Rinconada. Ele não sabia de nada, e todos continuariam bons amigos como sempre, que alívio.

Quique escovou os dentes, fez a barba e tomou seu banho. Quando estava debaixo do chuveiro tirando o sabão, surpreendeu-se cantarolando uma canção de John Lennon. Lembrou: essa canção estava muito na moda quando ele estudava em Cambridge, Massachusetts, no MIT. "Você, cantando no chuveiro?", perguntou a si mesmo. "Desde quando, Enrique Cárdenas?" Estava contente. Aquele telefonema e o convite de Luciano lhe trouxeram bom humor. Gostava muito dele, de verdade, sempre o estimou muito. E, realmente, naqueles três anos muitas vezes sentira remorsos quando ele e Marisa iam para a cama com Chabela. Mas, apesar disso, nunca lhe passou pela cabeça interromper essa relação. Era um imenso deleite quando faziam amor juntos. "Que história curiosa!", continuou pensando, enquanto escolhia no amplo closet a roupa esporte que usaria para ir à casa de Luciano: mocassins, uma calça de linho, a camisa quadriculada em vermelho e branco que Marisa tinha trazido da última viagem aos Estados Unidos e uma jaqueta leve.

De fato, até a maldita chantagem que Rolando Garro tentou lhe fazer, sua vida sexual com Marisa estava murchando, virando uma espécie de ginástica sem fogo. E, de repente, nos dias de separação que se seguiram ao escândalo das fotos na *Revelações,* e durante a reconciliação, tinha sentido esse verdadeiro renascimento das relações com sua mulher, uma segunda lua de mel. Com ela aconteceu o mesmo. Sem falar de depois, quando afinal ficou sabendo do caso de Chabela e Marisa. Em breve iria fazer três anos que haviam começado o triângulo que lhes trouxe de volta um ímpeto de adolescentes, uma nova vitalidade. Que maravilha saber que Luciano não estava informado. Para ele, perder essa amizade seria uma desgraça.

Quando saiu, Marisa já estava pronta, à sua espera. Muito bonita, com uma blusinha decotada que deixava seus ombros brancos e perfeitos à mostra, uma calça laranja muito justa que destacava sua delicada cintura e o traseiro empinado. Inclinou-se para beijar seu pescoço: "Como está bela esta manhã, minha senhora".

No trajeto de carro até La Rinconada, Quique ao volante, Marisa disse:

— Adorei a ideia de ver um filme no cineminha que Luciano e Chabela fizeram. Não é fantástico ter um cinema em casa e ver os filmes que quiser, a qualquer hora, com quem quiser, naquelas poltronas confortáveis?

— No nosso apartamento não cabe um cinema — disse Quique. — Mas, se você quiser, podemos vender e construir uma casa com jardim e piscina, como Luciano. E lá faço para você o cinema mais moderno do Peru, minha vida.

— Que gentileza — riu Marisa. — Mas não, obrigada. Não quero ter que cuidar de uma casa grande com todas as complicações que sempre aparecem, nem ir morar no fim do mundo como eles. Estou feliz com meu apartamento no Golfe, perto de tudo. Sabe, você parece estar muito contente, Quique.

— É que me tranquiliza enormemente ver que ele não sabe de nada — disse. — Seria muito triste brigar com alguém que sempre foi um irmão para mim, desde que éramos pequenos.

Luciano e Chabela os receberam de roupa de banho. Estavam na piscina com as duas meninas, porque fazia calor. A manhã estava esplêndida, com um sol vertical num céu sem nuvens. Eles não quiseram entrar na água e se sentaram em poltronas, debaixo de sombrinhas, em volta da piscina, para tomar Campari e comer uns aipinzinhos com molho de *ocopa* que a cozinheira tinha preparado sabendo que era o tira-gosto preferido de Marisa.

Luciano estava de bom humor e mais afetuoso que nunca. Galanteou Marisa dizendo que ela andava suspeitamente bonita nos últimos tempos — "será que não arranjou um amante, Marisita?" — e parabenizou Quique porque sabia que tinha acabado de adquirir outra mina, em Huancavelica, em sociedade com uma companhia canadense. "Quer dizer então que você quer ficar cada vez mais rico.

Nunca vai perder sua ambição de ser um Rei Midas, que transformava tudo em ouro?" Falaram de política e reconheceram que, apesar dos pesares, e dos ataques ferozes que recebia, o novo presidente, o cholo Toledo, estava indo bastante bem. As coisas melhoravam, a economia crescia, havia estabilidade e, graças a Deus, tinham acabado os sequestros e atentados.

Luciano contou que agora seu escritório dava assessoria legal à principal distribuidora de cinema do Peru e que estava feliz, porque graças a essa relação ele e Chabela recebiam todos os filmes novos para ver no recém-inaugurado cinema do jardim. Às vezes os dois ficavam até de madrugada vendo as futuras estreias, às sextas ou sábados. Marisa e Quique estavam convidados para participar dessas noites cinematográficas quando quisessem.

Sentaram-se à mesa por volta das três da tarde. O ceviche e as corvinas grelhadas de fato estavam frescos e saborosos, sobretudo regados com vinho branco francês, um Chablis bem geladinho.

A tarde transcorria relaxada, divertida e risonha — as meninas estavam brincando com os cachorros e haviam acabado de servir uma torta de limão com sorvete de coco — quando Luciano, no mesmo tom casual e despreocupado em que tinha falado e brincado durante todo o almoço, exclamou de repente:

— E agora vou contar a grande surpresa: decidi ir com vocês a Miami para comemorar também esse terceiro aniversário! — sorrindo, acrescentou após uma breve pausa: — De fato, já era hora de tirar umas férias.

Quique, ao mesmo tempo que via o rosto moreno de Chabela se ruborizar, sentiu que uma placa solar de repente incendiava seu cérebro. Tinha ouvido bem? Olhou para Marisa, sua mulher também estava vermelha e surgia um brilho de pânico no seu olhar. Agora Chabela tinha baixado a cabeça, sem conseguir esconder seu estado de confusão. Continuava levando à boca, mecanicamente, a colherzinha com sorvete que depois devolvia ao prato sem provar. A atmosfera parecia de chumbo. Quique não sabia o que dizer, nem Marisa. O único tranquilo, imutável e risonho era Luciano.

— Pensei que vocês iam ficar contentes com a minha companhia, e me fazem essas caras de enterro — brincou, com sua taça de vinho na mão, soltando uma gargalhada. — Não se preocupem. Se eu não for bem-vindo nessa comemoração fico em Lima, triste e abandonado.

Deu outra gargalhada, levou a taça à boca e bebeu um gole de vinho, com uma cara muito satisfeita.

Quique sentiu as mãos e as pernas tremerem e só atinava a observar, à sua frente, o cabelo preto de Chabela, ainda de cabeça baixa. E então ouviu Marisa, razoavelmente natural, apesar da lentidão com que pronunciava cada sílaba:

— Grande ideia vir também a Miami, Lucianito. Verdade, já era hora de você tirar umas férias, como todo mundo.

— Ainda bem, ainda bem que alguém me quer nesse grupo — agradeceu Luciano, pegando a mão de Marisa e beijando-a. — Certamente vamos passar uns dias ótimos lá em Miami.

1ª EDIÇÃO [2016] 2 reimpressões

ESTA OBRA FOI COMPOSTA PELA ABREU'S SYSTEM EM ADOBE GARAMOND
E IMPRESSA EM OFSETE PELA LIS GRÁFICA SOBRE PAPEL PÓLEN SOFT DA SUZANO
PAPEL E CELULOSE PARA A EDITORA SCHWARCZ EM MARÇO DE 2017

A marca FSC® é a garantia de que a madeira utilizada na fabricação do papel deste livro provém de florestas que foram gerenciadas de maneira ambientalmente correta, socialmente justa e economicamente viável, além de outras fontes de origem controlada.